新 時代小説が書きたい！

鈴木輝一郎

河出書房新社

新・時代小説が書きたい！ † 目次

新・時代小説が書きたい！

まえがき

初代林家三平の小噺に、こんなのがありました。

三軒のカレー屋がならんでいた。

右端のカレー屋は「日本一美味いカレー！」と看板を出した。

左端のカレー屋は「世界一美味しいカレー！」と看板を出した。

真ん中のカレー屋はこんな看板を出した。「入口はこちら」。


まあ、笑いごとではなく、出版業界の知られざる常識として「柳の下にドジョウは三匹までいる」ってな法則があります。一発当たれば、類書で何冊かいける。

さる出版社が『一時間でできる英会話』って本を出したら、それがヒットした。

で、別の出版社が『三十分でできる英会話』という本を出したら、これも当たった。

そこで、さらに別の出版社が英会話の本を出した。『世界でいちばん簡単な英会話』。

おかげさまで、拙著の小説家入門書……というか、小説家業界入門書『新・何がなんでも作家になりたい！』は、そこそこ好評を頂戴しました。となれば、何匹目かのドジョウを自分で狙わない手はない（下品だなあ）。

そうは言っても、さすがに「小説の書き方本」を書く度胸はない。何かないかなあ、と思っていたところ、歴史小説・時代小説の書き方入門書というのが、ありそうで、ない。

歴史小説・時代小説は、現代小説とは違った意味での約束事が多いのですが、こうした約束事をまとめて解説するのは、小説の巧拙を論じるのとは違いますしね。

んでまあ、人の数だけ正解の存在する小説技法については横に置いて、議論の余地のあまりない、こうした解説書を著すことにしました。

基本的には、これから歴史小説・時代小説を書こう、という人のための本なんですけど、普段歴史・時代小説を読んでいる人に向けて、その舞台裏を、ちょっと覗いていただいて、楽しんでいただくためのつもりでも書きました。

まあ、肩肘を張らず、気楽にページをめくってやってください。

第一章　歴史・時代小説

腕を組んでから本になるまで

1　何はともあれまず打ちあわせ

仕事の進め方について個人差が大きいのは、現代小説も歴史・時代小説もかわりありません。

第一章では、章タイトルの通り、打ちあわせから本にまとまるまでの流れを書いていきますが、これはあくまでもぼくの場合であって、ほんの一例に過ぎないことをご承知おきください。

で、何はともあれ打ちあわせ。

小説家の仕事は、基本的には請け負い仕事なので、オファーは出版社の側からきます。

電話で「いつごろ上京なさいますか?」という場合もあれば、パーティの席などで立ち話で、ざっとした企画とかこちらのスケジュールとかを話したときに、「明日あたり、時間、とれますか?」という場合もあります。

エッセイや短篇小説などの仕事では、電話とメールとファックスですべて済ませてしまうのが普通ですが、書き下ろしにせよ、連載にせよ、単行本にするのを前提としている場合には、最初ぐらいは顔を合わせて打ちあわせをするのが普通です。

地方在住の場合、編集者から「こちらから岐阜に行きましょうか」と言ってくれることもなくはないんですが、それだと編集者の予定がまるまる一日潰れてしまう。申し訳ないんで、ぼくは上京時に何社かまとめて打ちあわせることにしています……まあ、時代小説を書く場合はほとんど書斎に引きこもっているんで、上京して打ちあわせして、ついでに気晴らしをする、ってな理由もあるんですけどね。

デビュー前の新人のかたや、デビューしたばかりで特段これといった注文が来ていないかたの場合は、当然ながらこの種の打ちあわせは無縁です。

ただ、流れとしてはそう大きな違いはありません。頭のなかで、あるいは目の前に、存在しない編集者を想像して、そこにいるものだと思って読みすすめてください。要するに、何をどう書くかを決める、といったプロセスなのですから。

とにかく、編集者と会って、最初に確認することは、

歴史小説を書くか。

時代小説を書くか。

ということです。最近は両者の区別も厳格なものではなくなってきましたが、一応の区別はあります。

歴史小説は「過去に実在した事件・人物を素材にして小説の形として書くもの」。

時代小説は「過去に実在したかもしれない場所を素材にして、架空の話を書くもの」。

歴史小説の場合は、登場人物もプロットもストーリーも動かせない場合が多いこともあって、素材よりも、むしろどういった切り口なり見方なりで歴史的事件をみてゆくか、が焦点となります。

時代小説の場合は、いつの時代にするか、どんなキャラクターを配置するか、などなどを話してゆくことになります。

ちなみに「いつからを時代・歴史小説と呼ぶか」ということですが、最近では明治時代以前を指すようになりました。ぼくがデビューした当時は、明治物は時代小説の範疇にはいらなかったのですが、時代がかわったんですね。

第二次世界大戦の前後で日本の歴史はドラスティックに変化していますが、大東亜戦争を舞台にした作品は「戦記物」として、時代小説とは別の扱いになります。

さもわかったようなことを書いていますが、実はぼくはプロットでの打ちあわせはあまり得意ではありません。しゃべるのはうまくありませんしね。

幸い、何年かこの仕事をやってきて、何冊か歴史小説や時代小説を出すことができたので、だいたいの話をすると、編集者の側で過去のぼくの作品から次作の雰囲気を類推してくれる、といった事情があります。

編集者の好みとか希望とかを聞いて、ガチガチの歴史小説にするか、ゴジラやガメラが出てくるトンデモ系の娯楽時代小説にするか、しっとり系の人情譚にするか、などを決めてゆきます。話好きの編集者の場合だと、ああだこうだと雑談しているうちに、だいたいのアウトラインみたいなものが見えてくることもありますが、これはむしろ珍しい部類にはいるかな。最終的には「とりあえず、書いたものを読んでください」と、現物勝負に出ることもすくなくありません。

絶対確実に決めるのは、執筆枚数と締切の二つぐらいです。ぼくの場合は四六判ハードカバーの仕事が多いので、四百字詰め原稿用紙換算で五百枚ぐらいがいちばん多いかな。枚数という枠から題材やらテーマやらを決めてゆくのは、あまり芸術的とはいえないのですが、枚数が増えるとページ数が増え、結果的に本の単価があがり、売り上げに影響する、といった、実に現実的な事情があります。

ここいらは書き手ごとに大きく事情がことなり、「いくらでも好きなだけ書いてください」といわれる小説家もいますし「締切はいつでも」といわれる人もいます。

ただし、注意しているのは、

書きたいものを一つに絞らない

ことです。書くのは小説家ですし、最終的な責任はすべて小説家が負うことになりますが、原稿を注文するのは出版社であり、編集者です。編集者が書かせたいものと、こちらが書きたいものが一致して、はじめて「オファー」から「注文」にかわります。

これも、書き手によって事情がことなります。

器用な書き手のなかには、自分の好みとはまったく関係なく、編集者の好みに合わせて自在に書き分ける人がいます。読者層を勘案して、クスグリとか蘊蓄とかを織り交ぜながら、計算しつつ書く人もいます。

ぼくの場合は、書き手としてはあまり器用なほうではないようです。「自分の書きたいようにしか書けない」ようですね。以前、書評の連載の仕事を引き受けたとき、面白いと思わなかった作品を「とにかく褒めろ」と強いられて、ほとほと音を上げたことがありました。

我が強いのはいいのか悪いのかわかりませんただ、面白さの正解は一つではありません。普段から事情が許すかぎり本を読んだり映画をみたり遊んだりして、書きたいテーマや素材、事件などを蓄積するように心がけ、引きだしに余力をもって打ちあわせに臨むことにしています。

これだと、打ちあわせの際に最初に切ったカードで担当者が首を横に振ったときでも、自分の好みのカードが切れますしね。

あと、これはデビュー前の、これから新人賞に応募しようとしている、そこのあなたに向けての話。

新人賞に応募する作品と、商業ベースに乗っているプロの作品とでは、根本的な違いがあります。

時代小説は、実際のマーケットにくらべて、雑誌の書評欄などの扱いが大きいので目立つのですが、外から想像するほど大きな世界ではありません。商業ベースで考える場合、どうしても扱う素材は保守的になりがちです。

たとえば、江戸期ならば文化・文政期（人情譚だとか、テレビの時代劇などは、実際の時代背景はどうあれ、考証類はそれらの時期を基本にしています）、新撰組などの幕末物、元禄期の忠臣蔵。戦国時代ならば室町後期の織田信長・豊臣秀吉・徳川家康がからむ、織豊期から江戸前期、それからぽんと飛んで平安朝あたり、と限られてしまいます。もちろん例外はいくらでもありますが。

ですが、新人賞の場合は、その種の制約は、ないと思ってください。新人賞は、その著者の力量を試すと同時に、新しい素材の発掘の場でもあります。

制約のない場は存在しません。

あなたが新人賞に応募しようとする際、助言をしてくれる編集者はいませんし、書いたものが活字にならない可能性のほうが高い。そのかわり、あなたを制約するものは、新人賞の募集要項に書かれている締切と枚数だけで、あとはすべて自由です。どんな場合でも自由は高くつきますが、高くつくだけの理由があるのを忘れずに。

ともあれ、編集者との打ちあわせが済んだことにしましょう。ざっとメモした打ちあわせの内容――テーマだとか、舞台だとか、切り口だとかを自宅に持ち帰り、整理して、……この続きは次の節で。

2　書き出す前の下準備

とりあえず、歴史小説と時代小説に共通する話からしましょうか。

歴史小説や時代小説が現代小説と決定的に違うのは、書き出す前の下調べが重要だということです。

現代小説の場合、「何でもいいから、まず書き始める。あとのことは書きながら考える。キャラクターをかっちり作っておけば、登場人物が勝手に動きはじめる」といったケースはあります。

こう書くと、必ず「だったら現代小説のほうがラク」と誤解するかたがいるので、明記しておきましょうね。

現代小説と歴史小説・時代小説とは、厄介さの方向が異なるだけで、どちらもラクではありません。現代小説の場合、常にモデルとそのプライバシーの問題がついてまわります。現代小説で、登場人物のキャラクターや人物設定などを、一人の人物、あるいは誰かと特定できる形にしてしまうと、最悪の場合、裁判になり、運が悪ければ出版差し止め、なんてことにもなりかねない。

この意味では時代小説はかなり気が楽です。知人たちから、絶対に他人に明かせない、浮気・不倫話を聞かされたり（ま、大抵はノロケ話で、聞いてるこちらはバカヤローと思ったりもしますが）、新聞や雑誌、現代もののアクション映画などで興味をひかれる事件やシーンに出合った場合、それを江戸時代や戦国時代にコンバートして描いても、元ネタとは似ても似つかぬものになる。

ええとこの四十がらみの熟れ切った人妻とのあんなことやこんな濡れ場を江戸時代にコンバートしたとしましょう。

江戸時代では二十過ぎを「年増」、二十三〜四から三十前を「中年増」、三十過ぎたら

「大年増」になる。四十だと孫がいる歳ですわな。

だから、ええとこの熟れ切った人妻は江戸時代では二十代なかば。時代が変わったところで男と女のすることは同じで、ラブホテルがないかわりに水茶屋がある。

こんな具合に「二十なかばの熟れた御新造様と水茶屋で秘めた逢瀬」と書くと、そこからモデルが誰か、推測するのはまず無理です……って、何の話をしてるんだ、俺は。

作品の舞台・場所・時代を決める

我々が書く場合には、打ちあわせの段階でだいたいの舞台やテーマを決めるんですが、これから新人賞に応募しようという人は、まずここから始めないと。

というのは、時代小説の場合、

「異なる時代を書くことは、別ジャンルの作品を書くのと同じ」

と思っていいから。

江戸時代の江戸市中物を書こうとしても、江戸時代だけで二百六十年ある。江戸時代は戦国時代にくらべて技術革新の波はゆるやかですが、それでも「ない」わけじゃない。

俗に「江戸百万」なんて言われますが、江戸の人口が百万を超えたのは、天明の飢饉で多数の避難民が江戸に流入してからのこと。

三代将軍徳川家光の時代である、寛永年間の古地図や人口調査をみると、意外に小さな町だったのがわかります。人口は三十万程度。今の山手線どころか、北は神田、西は四谷、東は日本橋まで。赤坂溜池（今は埋め立てられて、地名だけが残ってます）は原野。港区でＪＲの外側は埋め立てられておらず、海になってます。

戦国物を書く場合、織田信長が出現して以降、劇的に技術革新が行われているので、注意が必要です。あと、織田信長政権と徳川幕府とでは施政方針がまったく違いますしね。

ここいらの詳しいところは三章にゆずりますが、織田信長は自分の領土内での関所を撤廃し、租税を主として銭で納めさせています。領土の価値も米の単位である「×万石」ではなく、「×万貫文」単位でわけていたりとかね。

「不存在の証明」は難しいんですが、「存在の証明」は割合簡単にできる。史料に残されているものは非日常のものが多いので、その点でも注意が必要ではあります。

時代背景年表を作る

歴史小説の場合は、史実が基本的なストーリーの骨格となるので、この年表づくりは不可欠です。ぼくの場合は、打ちあわせを済ませてから着手するので、だいたいここから始めています。

これ自体は、実に単純で単調な作業です。作品の舞台と時代を決めたら、基本となる資料から関係事項をノートに書き写してゆくんですね。

パソコンに移行する前は26穴のファイルノートの右肩に西暦と年号をふって、一ページ一年、といった具合にし、事件関係を書き込んでいました。だいたい、必要な資料を一つで済ませることはないので、すぐに元の資料に当たれるように、事件の出典を併記しておきます。

数年前、小説講座の受講生からマイクロソフト・エクセルの使い方を教わり、それ以後、こうした作品内の年表づくりにはエクセルを利用しています。

エクセルをどうやって使うかというと、要するにいろんな事項を時系列管理してゆくものです。いろんな種類の資料を見て史実を片っ端から入力してゆきます。

史実を整理するとき、資料は時系列通りには並んでいません。それを時間軸に揃えて入力することで、「史実にはない空白の時間」などを洗い出してゆきます。

以前はこの作業を、個人制作のアウトラインプロセッサでやっていました。ですが、ある日突然バージョンアップが止まり、制作者のサイトも閉鎖され、それまで作ったデータが使えない、という事態に遭遇しました。

エクセルは、本来表計算をするためのソフトです。それぞれのセルのなかに大量の文字を書くことを想定して作られてはいないので、使いにくいことはたしかです。

ただし、マイクロソフト社はすくなくとも「とりあえずは」倒産の心配がないということ、そしてパソコンのOSがウィンドウズである限りは、「OSのバージョンアップで使えなくなる」ということはない。使いやすさよりも、継続性と安定性を優先しています。

時代小説の場合は、ここまで徹底した年表づくりは必要ないかなあ。人それぞれです。ただ、忠臣蔵のような、史実と密接に絡み合ったものを書く場合には、作っておくと便利ではあります。

登場人物の履歴を作る

これは、別に時代小説や歴史小説でなくとも、普通の小説の書き方本にも「作れ」と書いてありますね。

歴史小説の場合は「動かせない確定した史実」ってものが存在するので、ストーリーでコケないためにも、主要な登場人物の履歴などは組んでおく必要があります。

いつだったか、子供向けの『真田十勇士』を読んだとき、真田幸村（実はこの「幸村」って通称は、信頼できる史料には出てこないんですが）と大久保彦左衛門が顔を合わせるシーンで、大久保彦左衛門がおじいさんだった。大久保彦左衛門は真田幸村と七歳しか違わないんですけどね。『一心太助』での頑固爺さんのイメージが強かったんですな。

注意しなければならないのは、時代小説・歴史小説の場合、年齢は数え年でやっていること。数え年というのは、生まれた年を一歳として、正月が来るたびに一歳ずつ増えるものです。

だから幾つかの例外を除いてほとんどの場合、誕生日はわかりません。そのかわり、死亡したときの日付はわかることが比較的多いかな。

もっとも、明智光秀だとか、天海僧正だとかのように、有名な人物でも、通説はともかく、確実な史料では生年がはっきりしない場合もあるので、注意は必要です。

登場人物の履歴は、その性格上、時代背景年表とダブるケースが多くなります。以前は手書きでせっせとファイルノートに書き込んでましたが、これもまた悪筆で読めなかったり、転記の間違いが多くて参りました。

今では、関係するデータを片っ端からエクセルに、手で入力しています。以前はデータからコピペしていましたが、それだと全体像が頭に入ってこない。「最新」とは選択肢が増えるだけであって、「最良」とは別物ではあります。

登場人物を魅力的に描く方法などは、現代小説と手法はあまりかわりありません。これについては、類書にいい本がたくさんあるので、そちらに目を通していただくのがいいかなあ。

追加取材と現地踏査

だいたいここまでくると、作品の全体像が見えてくると思います。もちろん、最初に見えた全体像と作品がまるで別になるのはよくあること。そういう場合は、迷わずはじめに立てたプロットをどんどん捨てて、組み直すのが重要です。捨てる部分が多いほど、いいものになりますしね……ええと、もちろんこれは、自分のことを棚に上げて言っています。ともあれ、全体が見えれば、不足している資料や「どこがわからないか」がわかるようになってきます。

郷土史家による自費出版の歴史書というのは、インターネットのホームページに移行しつつあります。とはいえ、まだまだ現地の土産物店や歴史資料館の売店、書店（中小のところのほうが「郷土の本」コーナーが多かったりします）でしか入手できない資料はあるものです。

ぼくは岐阜に住んでいるので、信長物を書くときは現地踏査もへったくれもない（現地に住んでるんだから）。あと、打ちあわせやパーティで毎月のように上京してるので、江戸物もなんとかなる。

ただ、それでもときどきは現地踏査に出かけます。現地の空気を吸い、雰囲気を知るのも大切ではありますしね。

現地でしか置いてない資料のある店、ってのは、ある程度場数を踏むと、勘みたいなものは働くようになります。店のたたずまいを見たとき、店のほうがおいでおいでと手招きするのが見えたりします。

以前、『真田密伝』（角川春樹事務所）で真田幸村の話を書くとき、高野山に出かけました。真田幸村は関ヶ原の戦いのとき、父親の真田昌幸とともに西軍につき、中山道を西上する徳川秀忠軍と信州上田城で戦ったんですけど、その罰として高野山に流罪になったものので。

ケーブルカーに乗って真田家の菩提寺に泊まったあと、真言密教関係の書物がないかと、レンタサイクルにまたがってかけずりまわったところ、ぴぴっとくる書店があった。典型的な「町の本屋」ってなおもむきの書店で、店の半分は文房具を売ってたんですけど、残る半分が『仏教辞典』とか『真言宗おつとめ集』とかがぎっしり。やったぜと思って買い物カゴに片っ端から放り込んでレジに持って行ったところ、ちょっと驚いた。

レジ前には『少年ジャンプ』がどーんと積まれていた。それはまだいい。だけど、同じ高さで『梵字必携』が積まれておりました。

うーん……高野山では、少年ジャンプと梵字必携が同じ程度の需要があるんだなあ、と痛感したんでありました。

どのみち宅地造成などで現地の姿は作中に出てくるものとはまったく別物だから、現地踏査をしなくても書ける、という意見はあります。要するに面白いことが第一であって、正確な小説と面白い小説はまったく別のものでもありますしね。

ただ、行けるものなら現地に足を運んでおいて損はないかなあ、と思った一瞬でありました。

3　歴史小説はマギー司郎だ

……って言っても、最近マギー司郎氏はテレビでの露出を控えておられるらしく、その名人芸を見かける機会がすくないので説明が必要ですね。

手品師です。独特の風貌の持ち主で、飄々とした、というか、頼りなげな、いかにも小物ふう。扱う手品も、ハトを出したり人間を消滅させたり、なんて大げさなものはほとんどなし。

ハンカチの色を変えたりとか、千円札を消したりとか、そんなものが中心。

栃木だか茨城だかの訛りの、訥々とした口調で、

「あのね、ハンカチのね、色を変えて見せるよ。お客さん何色がいい？(と客席に訊ねる)黄色？　あー、今日は黄色お休みなのね～　赤色に変えるね」

とかとか、

「ええと、お客さん、一万円札ある？　ちょっと貸してくださいね。……はい、消えました。すごいでしょ。……さ、それでは次の手品いきましょうね。もっとすごいですよ。

え？　今の一万円札を返せ？　あのね、ごめんね、消えたのよ。お客さん、見てたでしょ」

とかね。

手品のネタ自体は、普通のマジック入門書にあるものがほとんどで、マジックの流れもほとんどパターンが決まってる。

驚かせる、というよりも、ほのぼのと笑わせる芸風で、一般的には手品師というよりはお笑い芸人として認識されているみたいです。

観客には、手品のタネも仕掛けもわかっていて、次に何がくるのかもわかっている。だけど、何度見ても面白い。今でもインターネット動画をチェックすると、数万単位のアクセス数におよぶぐらい、安定した人気があります。

で、何がいいたいかというと。

歴史小説には、マギー司郎の手品に学ぶところが多い、ってことです。マギー司郎になれるかどうかは別問題ですが。

歴史小説は、ストーリーも登場人物も結末も決まっている

一節ですこし触れましたが、歴史小説は実在した人物や実際に起こった事件などを素材として小説の形にするものです。

当然ながら、歴史の流れがそのままストーリーの流れとなり、登場人物やその履歴もあらかじめ決まってしまいます。つまり、読者になじみのある素材であればあるほど、読者には、読む前からストーリーも登場人物も結末もわかってしまっている、ということです。

これに対して、小説の面白さを演出する技法のひとつに、

「読者に謎を提示して、謎を展開してゆき、最後にすべての謎を解決する」

といったことがあるんですが、歴史小説の場合は、そもそも謎自体がない（全くないわけではないが）。

また、別の小説の演出技法としては、

「主人公に目的を与え、次々と葛藤や難関をぶつけ、主人公がそれらを乗り越えるプロセスを提示する」

ということもあるのですが、こちらも、史実をベースにしている以上、登場人物たちが

どこで葛藤し、どんな難関に当たり、どうやって乗り切った（または乗り切れなかった）かがわかってしまっている。

この意味では、歴史小説は、普通の小説とは違った難しさがあります。

ではどうするか。

以下は、「ぼくの場合はこうする」、または「先人はこうしてきた」って話です。事例で先達の巨人たちと拙著を同列に論じるのは僭越至極だと承知してますけど、自著の場合は書き上げるプロセスは自分がよく知ってますんで、勘弁してください。

未知の人物を発掘する

この典型例が司馬遼太郎の『竜馬がゆく』ですね。これは永遠の青春のバイブルと言っていいかなあ。いまだに春先になるとうちの近所の書店では文春文庫版の八巻本が平台に並びます。

だけど、歴史的にみて、坂本龍馬って何やった人か、あなたは即答できますか。ぼくの知人は「司馬遼太郎を儲けさせた人」と喝破しましたが。

司馬遼太郎の『国盗り物語』での斎藤道三もそのパターンです。こちらは「織田信長の正室の父親」ってな程度の認識しかなかった人物にスポットライトを当てたものです。とにかく、地元の人間ですら斎藤道三の存在をほとんど知らなかった。昭和四十八年（一九七三）にＮＨＫの大河ドラマで『国盗り物語』が放映され、ようやく「道三まつり」を開催しはじめたくらいですから。

身ひとつの一介の浪人が、油屋の主人に成り上がり、そこから美濃に流れて権謀術数のかぎりを尽くし、一代で美濃一国の国主となる、なんてのは、いかにも高度成長期にありがちな成功談ですし、ここで描かれている斎藤道三そのものがとても魅力的でしたしね。ついでながら書くと、こういう偉大な作品の轍《わだち》ってのは深いもので、後を走ろうとすると、ついそちらに足をとられる。

『国盗り物語』が発表されてからかなり後年に発見された古文書《こもんじょ》や、その後の研究で、斎藤道三の父の代に美濃入りしているのが判明し、斎藤氏の美濃掌握は二代がかりだったことが証明されてますが、これはあまり知られてはいませんね。

また、織田信長の正室は「濃姫」とか「帰蝶」とか呼ばれる場合が多いんですけど、これも信頼できる史料には出てこない。信長の正室は、本能寺の変の後、一時期織田信雄《のぶかつ》（信長の次男）に預けられていた模様で、『織田信雄分限帳』（家臣団への給与明細みたいな公文書です）に「安土殿」としるされてはいるんですが。

いつだったか、親父が「〇〇さんが会いたいとおっしゃってるので、ちょっと来い」と言ってきた。

この〇〇さん、地元の中堅スーパーの番頭重役で、八百屋だった時代からずっと番頭をやってきた苦労人。小遣いでもくれるんかいなと顔を出したところ、いきなり両手を握りしめられ、

「輝一郎さん、片桐且元を書いてください！」

と言う。ついでながらこの中堅スーパー、先代が後継者を決めないまま心筋梗塞で急死し、跡継ぎを誰にしてうんたら、とか、いっそ会社を分割してかんたら、とか、大手スーパーに身売りしてかんたら、とかいった話が新聞の地方欄をにぎわしていたときでもあった。

「はー　はあ」

朴訥と実直と誠実が背広を着ているような〇〇さんの、意外なほどの迫力に気圧され、話を聞いた。

「とにかく、秀吉が亡くなって、徳川家康がのしてきて、大坂城のなかで誰が豊臣方につくか、昨日あいつは淀君についていたけど、明日は誰につくかわからない、というときに、豊臣を守るがために片桐且元は徳川と豊臣との間をかけずり回っていた。だのに、司馬遼太郎はまるで徳川家康のスパイか番犬みたいな書き方をして、それを読むと片桐且元がかわいそうでかわいそうで」

……って、そりゃあんたの立場そのまんまやんけ、とツッコミたくなりましたけどね。

言われてみれば片桐且元、豊臣秀吉が初めて城持ち大名になってからの家臣で、「賤ケ岳の七本槍」のひとり。

「国家安康」で知られる方広寺鐘銘事件では、家康のつけてきた言いがかりに釈明するため、駿府（当時家康は隠居して駿府に住んでいた）に飛んで和睦の条件をとりつけたものの、徳川との徹底抗戦を主張する淀君に裏切り者扱いされ、やむなく大坂城を脱出した、という人物。その割にほとんど知られていない。

幸い、法廷推理っぽいシーンもあるし、戦国武将の側面も持っている人物なのでアクションシーンも入れられる。だもんで、目の前の○○さんの風貌をモデルに、『片桐且元』（小学館）というタイトルで書き上げました。

未知の部分に焦点を当てる

これの典型例は吉川英治『宮本武蔵』、思いっきり古いところで小瀬甫庵《おぜほあん》『太閤記』。豊臣秀吉が公文書に「木下藤吉郎」の名で出てくるのは永禄八年（一五六五）の『坪内利定知行宛行状《ちぎょうあてがいじょう》』に信長と連名で出るのが最初で、秀吉二十九歳のときのこと。それまではどこで何をしていたのか、信頼できる史料にはまるで出てこない。

一応、ほぼ同じ時期に著された『祖父物語』では、織田信長が清洲城にいた当時には信長につかえていたらしいんですが（書かれた時期が織豊期と近いので、正確かどうかではなく「そう見られていた」程度の信頼性です）。

ちなみに『祖父物語』によると、清洲城の門で信長が木の節穴から覗くと、秀吉が歩くのが見えた。そこで信長が節穴から男根を突き出し、秀吉の顔面に狙いを定めて放尿した。見事に命中したものの、激怒した秀吉が「たとえ主君といえども、男子の顔に小便をかけるとは許しがたし」と詰め寄ったので、信長は「すまんすまん、昇進させるから許せ」と謝ったとのこと。

真偽のほどはともかく、「顔面に小便をかけてもいいや」と信長に思わせる程度の身分でしかなかったのは確かなようです。

それが小瀬甫庵によれば、信長に「猿」と呼ばれたとか、草履を腹で温めたとか、清洲城の塀の修理だとか合戦の稽古とか、美濃攻略のために尾張との国境近い墨俣に一夜で砦を築いた（秀吉が出世する前から墨俣には砦があった）とかとか、書きたい放題に書いてある。

まあ「知行宛行状」というのは、家臣に所領を与える際の権利書みたいなもので、そこに信長と連名で署名できるということは、かなりの地位になっていたことは間違いないでしょうが。

意外なことに小瀬甫庵『太閤記』のフィクションの部分は全二十巻のうちの最初の一巻のみ。第二巻は鳥取城攻めから始まる。ぼくが子供の頃に、リライトされて読んだものは、出世するまでのサクセスストーリーだったんですけどね。

これに対し、吉川英治『宮本武蔵』は全巻フィクションです。宮本武蔵は実在していますけど、事跡が確認できるのは寛永十一年（一六三四）、五十一歳で小倉藩小笠原氏に客分として迎えられて以降のこと。

その主著である『五輪書』は武蔵の弟子たちが武蔵の言動をとりまとめたものらしく、

出生地は播磨国説と美作国説のどちらが本当かわからない。

そもそも吉岡清十郎との仕合《しあい》にしたところで、「憲法染」ができたのが明暦年間（一六五五～一六五八）のことだし、佐々木小次郎が何歳だったかもわからない。

よくこんな、ないない尽くしのところからあれだけの話を作ったものだというか、何もないから自由自在に書けたというべきか。

可哀想なのはぼくの知人で、さる歴史雑誌から「宮本武蔵十番勝負！」ってな企画を持ち込まれ、引き受けたのはいいけれど、「資料が何もないよ～」と泣きついてきた。「んなもん、あるわけないっすよ、宮本武蔵の決闘って、ほとんど全部吉川英治の創作なんですから」とこたえたところ、「罪なことしてくれるよなぁ」なんて嘆いてました。

いずれにせよ、方法論がかなり違うとはいえ、小説であることには違いない。正確に歴史を述べるのは学者の仕事であって、小説の仕事は別。……それが何か、自分でもよくわからないまま言ってるんですけどね。

4　時代小説は娯楽小説の王だ

「君臨すれど統治せず」とこのあとに続くんですけどね。そもそも小説が娯楽の帝王の座を降りてから久しいですし。

手軽に楽しめる娯楽の主流は、かつては小説でしたが、それがマンガに移行し、テレビに移行し、今はゲームに移行しつつあります。

でも、今のところマンガも小説もテレビも消滅していないところからみて、主流が移っただけで、パイを分け合ってる、ってのが正確なところでしょうけどね。

時代小説は最初の娯楽だった

今では想像もつかないでしょうが、かつて時代小説は「子供の読み物」という時代があった。さもなければヒマな貴族や武士の手すさびというか。

時代小説の起源は古い。『今昔物語』は十二世紀前半に成立したそうですが、これはすべて「今は昔」から始まる……すなわち、現代の概念でいうところの時代小説に相当するものです。

舞台を過去に移したものを「時代物」と呼ぶようになったのは、文楽や浄瑠璃、歌舞伎に端を発します。

江戸時代は幕府による言論統制が厳しく、幕政を批判するような作品は、頒布や上演が禁じられたので、舞台を過去に移す必要に迫られたわけです。

いわゆる「赤穂事件」が発生したのは元禄十四〜十六年（一七〇一〜一七〇三）ですが、これが浄瑠璃『仮名手本忠臣蔵』に脚色され、上演が許可されたのは、なんと四十五年後の寛延元年（一七四八）。しかも実名での上演はできず、場を室町時代に移し、吉良上野介を高師直《こうのもろなお》、浅野内匠頭を塩谷判官高貞《えんやほうがんたかさだ》と名前をかえて、ようやく上演できた。とにかく、事件発生当時、幕閣のなかですら、赤穂浪士を武士の鑑とみるか、幕府の処断に抗議する徒党の輩とするか、議論が紛糾するほどの微妙な事件でしたんで。

ついでながら、時代物に対して現代（っていっても江戸時代ですが）を舞台としたものを「世話物」といいます。近松門左衛門の『曾根崎心中』なんかがそうですね。

江戸時代は、徳川幕府に対しての批判はご法度だったのですが、それ以前の物についてはかなり自由に書かれています。

割合忘れられがちなんですが、徳川幕府というのは「将軍」が最高権力者に据えられているのをみればわかる通り、軍事政権です。その反面、武士が武力を行使するのを控えさせられた。ま、ヒマを持て余すようになったわけですな。

そこで、往時の武士の華やかなりし時代を懐かしむせいか、あるいはおのれのアイデンティティを確認するためか「軍記物」が書かれるようになった。

前節の小瀬甫庵による『太閤記』はその典型例ですね。その他にも『太平記』なども出てきます。

これらの多くは『群書類従』『続群書類従』『史籍集覧』などにまとめられ、翻刻（活字におこすこと）されて、ちょっとした規模の図書館には必ず置いてあります。いわゆる文学作品と違い、5W1Hがはっきりしていて、比較的読みやすいかな。

ついでながら、これらの軍記物を読んで聞かせる商売というか仕事というものも発生し、これを「軍記読み」と呼んだ。やがて軍記以外にも人情談やらにも手を広げ、釈台を前に張り扇でおもしろおかしく聞かせる「講釈師」となり、明治に入ってから「講談師」になって、現在にいたってます。

んでまあ、こうした軍記物を経て、明治の末期から大正期にかけて、『立川文庫《たつかわぶんこ》』が流行します。これは現在の文庫本とほぼ同じ大きさながら、ハードカバーのかなり堅牢な作りの造本で、新刊だと二十五銭した。しかし、三銭を添えて返本すると次の新刊を読むことができた。ラムネが一本八銭だった時代で、他に娯楽のないこともあって、商家の小僧さんたちの唯一といっていい楽しみだったそうです。

子供向けということで、すべての漢字にふりがながふられており、暴力シーンやセックスも一切なし。ほとんどがチャンバラ物か忍者物です。真田十勇士の起源もこれ。

作品リストをチェックすると、洋物は『ロビンソン漂流記』があるぐらい。明治期に発刊されたせいか、徳川幕府の関係者は『水戸黄門漫遊記』(全国各地をあるいてますな。テレビのアレの元ネタはここ)ぐらいです。なぜ水戸黄門だけ別格の扱いになってるのかというと、水戸黄門が興した「水戸学」は尊王の基本哲学だったからですね。

子供を主たる読者に置いているせいか、勤勉忠勤をテーマにした太閤記のシリーズや、小坊主・一休さんのとんち話なども『立川文庫』から。

残念ながら立川文庫の社会的地位は低く、その影響力の大きさの割に、全容は把握しきれていません。散逸しているものも多く、国会図書館に所蔵されているのもごく一部。しかも稀覯《きこう》本の扱いになっていて、『真田密伝』(角川春樹事務所)を書くときに苦労させられました。

つまり何がいいたいか、ってぇと、近年、時代小説は高尚なフリをしていますが、元を正せば、時代小説は徹底した娯楽物だった、ということです。

時代小説は小説だ

ものすげえ当たり前な小見出しで恐縮ですけど、要はそういうことです。

歴史小説は史実のシバリがありますが、時代小説は舞台が過去だということ以外には、特に拘束はありません。

小説として面白ければ、何をやってもかまいません。ぼくが言うよりも、山田風太郎の作品群に目を通していただければ納得していただけるでしょう。題名を失念しましたが、司馬遼太郎の作品にも、虚空を女陰が飛び交うシーンがあったなあ。

推理小説を書く場合には、読者に対するフェア・アンフェアといった事情があるので、視点(「どういう観点から物を見るか」という意味ではなく、「登場人物の誰の目から作品世界を見ているか」の意味）はかなり厳格に問われます。

これに対して時代小説は、視点について、それほどやかましくいわれない場合もある、と思ってください。

なぜか。

作品の時代背景や設定事項などを読者に対して明らかにする必要がある。登場人物は作品の時代背景や作品の未来を知りません。その反面、読者は往々にして作品の時代背景を知っているという矛盾があります。

たとえば雑人時代の木下藤吉郎が主人公だったとして、今川義元を桶狭間で迎撃しようと夜中に飛び出した織田信長に随行すると決めた、としましょう。

この場合、読者である我々は織田信長が勝利したことを知っていますが、木下藤吉郎は信長が勝つとわかって随行しているはずがない。勝つと信じていたかもしれませんけどね。

こんなとき、なぜ木下藤吉郎は随行を決心したかという心理を描くのは当然として、「木下藤吉郎は勝つということを知らない」ことを読者に知らせる必要があります。それは登場人物の誰ひとり知らない。作品のなかでは著者であるあなただけが知っているわけで、これを小説技法では「神の視点」と呼ぶ場合もあります。

時代考証だとか登場人物のセリフ回しだとかが現代小説に比べると厄介なのと、脇役の登場人物の違いが読者に伝えにくいといった、時代小説固有の事情はあるものの、基本的には現代小説と執筆するうえでのアプローチの仕方に差はないと思ってください。魅力的な登場人物の作り方だとか、起伏のあるストーリーの作り方、奇抜なプロットの組み方などは、いい類書がいくらでも出ているので、ぼくがあれこれ言うより、そちらを参考にしていただいたほうがいいでしょう。

作品背景とフィクションの距離を平行に保つ

ちょっと抽象的な話になりますが、少し我慢してください。

娯楽小説の場合、読者の想像力の範囲内か、それよりほんの少しはみ出すことしか許されないのが普通です。

現実の殺人事件では、衝動か怨恨か金がからむもので、事情を精査するほど「なんでそんなことぐらいで殺さなければならないのか?」と疑問を感じるケースがほとんどです。

しかし、小説のなかではそうはゆかない。現実では「キレたから」「なんとなくみんながやってるのでなりゆきで」殺人を犯すことが許されても（許されない許されない）、小説の読者はそれでは納得しない。なぜなら、普通に生活していると、殺人者と遭遇する機会は滅多にあるものではないから、その心理世界にはいりこむことができない。

それゆえに、娯楽小説の中では、

①普通の人格の持ち主でも殺人を犯したくなるほどの動機があるか。

②殺人事件を作品のなかで「説明の不要な重大犯罪」というキーワードとするか。

といった具合に、殺人事件は扱われます。これで「殺人事件」というフィクションの世界のなかへ、読者をいざなう舞台装置ができるわけです。

時代小説の場合は、こうした事象と読者の期待するフィクションとの関係は、時代背景と読者の期待するフィクションとの関係に相当するかな。

小説よりも映像のほうがわかりやすいので、映画を例にあげましょう。

北野武版『座頭市』が制作されたとき、衣装担当者が「時代はいつごろに設定しましょうか」と北野監督に訊ねると、「いつでもいい」と答えられたそうな。小説でこれをやるのは難しい……というより、映画でもかなり難しいかな。

勝新太郎版の『座頭市』シリーズが百本以上制作されたために、観客側に「晴眼者の剣客よりもはるかに強い盲目の居合抜きの達人」といった、現実にはありえないファンタジーの存在について、観る前から期待と納得ができているので、そういうことが言える（もちろん、こうした「予定調和」の打破がないと作品が面白くならないので、この意味で北野監督が相当苦労しただろうというのは画面から伝わってきましたが）。

勝新太郎版の『座頭市』も、はじめのうちは平手造酒《ひらてみき》や国定忠治など、講談や浪曲で知られた人物を登場させることで、観客に「場所は関東」「時代は江戸後期」「市は盲目ながら博徒」といった設定事項を納得させていました。

映画の場合、背景や照明、キャスティング、衣装、役者の演技力、コマ割りなど、一瞬で洪水のように視覚情報が提示されるので、かなり強引な設定でも観客を納得させられるけれども、小説の場合、基本的に文字でしか読者に伝えることができない（そのかわり、製作費は映画よりも幾桁か少なくすみますけどね）。

読者を異世界にいざなう事情は同じであるにせよ、どういったトーンの作品を書くかは重要です。主として、

①読者とまったくことなる人物を配置して、現世のしがらみを忘れさせたいのか。

②読者と等身大の人物を配置して、現世を違う角度で眺めさせたいのか。

の二種類に大別できるんですが、この両者は明確に分けられる、というものでもない。

例えば、テレビシリーズの『水戸黄門』は、「人徳者のおじいちゃんと、その家族」といった家族ドラマというフィクションを提示しています。高齢化が進んでいる現在、そんな家族関係はあり得ない反面、そうあって欲しいという願望も含まれる。

この場合、どれだけ歩いても決して汚れない足袋、体格が立派で助さん格さんよりも強そうだけど絶対に刀を抜かない里見浩太朗の黄門、といった具合に、ありそうでなさそうで、でもあるかもしれない、といった、ぎりぎりのラインを押さえ続けています。

ここいらのところは、時代考証とも絡んでくるので、詳しくは三章ででも。

5　時代小説とパソコンと

こんな具合で（どんな具合だ？）「時代小説」と「歴史小説」は微妙に違うわけなんですが、実際に書店の棚に陳列される場合には「時代小説・歴史小説」という具合に同じ棚に陳列されることがほとんどですし、同じ著者が両方書いているのが普通でもある。それに、両方ごちゃまぜになっているようなケースもあるんで、この節以降は、まとめて「時代小説」と呼ぶことにしましょう。

で、タイトル通り、時代小説とパソコンの関係について。

パソコンがあると便利なこと

まず、筆記具として。

他人が読んでもわかる字が書けるのが、最大の利点です。……いや、笑い事ではなく、自分の悪筆にはほとほと泣かされていたものですから。

とにかく、三十年ほど前にサラリーマンをやっていた当時、得意先宛の年賀状の宛名書きは、それぞれ担当の営業マンがやっていた。ところが「輝一郎の字では先様に失礼になる」と、ぼくのぶんの宛名書きが同僚に振り分けられ、全員が書き終えるまで居残りをさせられてたもんなあ。

二十五歳で七万二千円のワープロ専用機を買い、これをきっかけに小説を書きはじめました。パソコンに乗り換えたのは一九九七年から。

マッキントッシュがプリンタつきで十万円を切ったので、思い切って買いました。ところがこれが初期不良だったらしく、トラブルにつぐトラブルに泣かされ、一カ月ほどで本体だけで二十何万かした上位機種を買いました。

メインで使っているデスクトップマシンは――何台めだったかな？　トラブルが発生する前に買い換えることにしています。

正直なところ、パソコンは消耗品です。デスクトップマシンは、いかれたところから順番に交換できるのがありがたい。本体の寿命がきたらハードディスクを交換して予備機にしています。

以前はパソコンにおまけでついてくるキーボードを使っていましたが、ストロークが浅くてやたらミスタイプをするので、東プレ製の高いやつを使っています。

鈴木輝一郎小説講座で動画編集をするので、パソコン自体は無駄にハイスペックです。ＤＥＬＬのＸＰＳ８９３０というモデルで、ＣＰＵはi7、メモリは48ＧＢを積んでいます。

現在はこの本体に三面ディスプレイを使っています。書きながら調べ物をするので、左側の画面でネットにアクセスし、正面で執筆、右側の画面でファイル管理&予備ディスプレイにします。右側にエクセルでの年表を表示しながら正面で執筆する、といったこともよくあります。

執筆はワードではなくエディタを使っています。ワードは不意に凍りつくという恐ろしい状況がけっこうな頻度で出るので執筆には使っていません。

ながらく執筆にはQXエディタを使っていましたが、文字コードの主流がシフトJISからUTF－8に移行したことにともない、秀丸エディタに移行しました。ここらへんの文字コードやら改行コードの話をすると「さっぱりわからん」と言われるのが普通で、メールのやりとりだけで頭を抱えさせられた世代としては、時代の差を感じますねえ。

時代小説の場合、文章の性格上、大量のルビ（ふりがな）をふる必要があるのですが、ワープロソフトでのルビは装飾文字の扱いになって、テキストファイルには反映されません。そのため、原稿を書き終えたあと、ルビ用のカッコ（ぼくは【】で囲んでいます）を使ってルビを挿入しています。


辞書は一日に何度も引くということ、そしてパソコンとデータ検索はとても相性がよいこともあり、早い時期からデータベース化された辞書を導入していました。『広辞苑』などの辞書類をインストールし、これらを辞書検索ソフトで検索したものです。

現在は総合辞書サービス『ジャパンナレッジ』（https://japanknowledge.com/）を使っています。

ジャパンナレッジは小学館グループの会社です。会費を払うと「ニッコク」こと小学館

『日本国語大辞典』、平凡社『世界大百科事典』、吉川弘文館『国史大辞典』、国際日本文化研究センター『古事類苑』といった辞典類のほか、小学館『日本古典文学全集』（能や歌舞伎の台本が収録されている）、平凡社『東洋文庫』（松浦静山『甲子夜話』や李舜臣『乱中日記』などが収録されている）といった叢書まで、幅広く検索・購読できます。歴史・時代小説を書く上では必須のサービスだと思ってください。

Googleの検索力が飛躍的に向上したこともあり、「読み方も部首もわからない漢字」が引けるようになりました。これをジャパンナレッジと組み合わせて使っています。

「暹慶」という人名を資料でみつけたとき、まず「暹」という文字が、読みがわからないから検索できない（画像データだとけっこう大仕事だったんです、昔は）。手書き入力で検索するのは割とたいへんだった。いまは検索窓に「進むの上に日　漢字」と入力すると「暹（せん）」とデータで出てくる。

そこで「暹慶」と文字データにしてジャパンナレッジで全文検索をかけると、「暹慶（せんけい）」という読みと、「山岡景友」という戦国武将だということ、足利義昭の家臣を経て豊臣秀吉に仕える、という履歴が一瞬で出てくる。これは感動しますねえ。

組んだプロットの階層管理をエクセルでやると便利なのは、二節で述べた通り。ずいぶん助かってます。

あと、ほとんどの一般公募の新人賞は応募原稿を返却してくれない。投稿生活を送っている間は、手元に原稿の控えがあると助かります。投稿とパソコンの関係については拙著『新・何がなんでも作家になりたい!』に詳述してあるので、そちらをご覧ください。

一時期、五十枚ぐらいの短篇小説は添付ファイルにしてメール送稿していたんですが、メール添付ファイル型のコンピューターウィルスが爆発的に流行していて(一晩で百通を超えるウィルスメールが届けられるのも珍しくない)、メールソフトが添付ファイルを受け付けない設定になっているケースが増えました。

これは迂闊に設定を変更するとたちまち感染してしまうので、原稿用紙換算で数枚ほどのエッセイやコラムの場合は、メール本文に埋め込んで送稿することにしています。

パソコンでしかできないこと

ここまでは、「パソコンがあると抜群に効率がよくなる」というだけであって、なければないでどうにかなる作業ではあります。パソコンのない時代から小説は書かれていましたし、辞書もあった。プロットの階層管理はファイルノートなどでも十分ですし、原稿を送るのは宅配便や郵便やファックスで済む。

ここからは「パソコンでなければできないこと」です。

まず第一にあげられるのは「現地踏査の事前準備」があげられます。

インターネットの世界は、最新の技術情報には圧倒的な強さを発揮しているものの、歴史関係はそれほどではないし、信頼性も疑問が残るケースが少なくありません。

ただ、ほとんどの自治体は自前のサイトを持っていて、ちょっとした観光案内、周辺地図、歴史などが一覧できます。

現地踏査に出かける前に、調べられる事柄をできるだけ調べた上で、現地では可能なかぎり「現場の空気にふれる」ことに徹すると、単なる調べ物だけの旅にならずに済みます。

かつては郷土史家の自費出版が主流だった郷土史なども、徐々にインターネットのホームページにシフトしつつあります。

この種の書籍は、ほんの十数年前までは現地の土産物店などでしか入手できなかったのですが、インターネットへのアクセスの簡略化、パソコンの低価格化、ホームページ制作の簡便さなどが後押しをしているようです。

問題は、書籍は著者が亡くなっても流通する場合があるんですが、インターネットのホームページはサーバの仕様変更で削除されてしまう可能性があることが第一。

問題の第二は、あまりにも自説の開陳の公開のハードルが低くなったために、玉石混交の「石」の混じる割合が多くなって信頼性が低くなったこと、ですね。

それから、取材の簡便化があげられます。一例をあげましょう。

江戸期に檀家制度（江戸時代、キリスト教の禁教を徹底させるために、国民全員をどこかの仏門に強制的に入れたのが檀家制度のはじまりです）が始まる前は、宗教は自由競争だった。そのため、戦国時代以前の武将の行動哲学と宗教は密接な関係がある。だから、どの武将がどの寺に葬られた場合その宗派は何か、あるいは生前に仏門に帰依したなら何宗に入ったのかを知るのは重要です。

けれど、これを知るのは意外に大変です。人名辞典とか資料などで仮に武将が弔われている寺がわかったとしても、いきなり電話をかけて「おたくは何宗ですか」と訊ねたりするのは怪しまれるだけ。こちらもインターネットで検索をかけると、ほとんどのお寺の場所、宗派などが判明します。自治体のホームページの場合もあれば、お寺自身が自前のホームページを運営している場合もあります。

そのほかに、資料入手の時間と費用の節約があります。比較的よく知られている文学作品や資料、浄瑠璃の台本などで、著作権の切れたものは、まだまだ不十分とはいえ、テキストファイル化されてインターネット内で公開され、入手や閲覧が可能になりつつあります。

代表的なものとして『青空文庫』（https://www.aozora.gr.jp/）や、『バージニア大学・ピッツバーグ大学・日本語テキストイニシアチブ』（http://jti.lib.virginia.edu/japanese/index.euc.html）などがあげられます。

日本文学のデータ化が急速に進んでいます。これはそれぞれの文献を、タイトルとデータで検索をかける（「源氏物語　データ」という具合）と、いろいろヒットします。これはURLを明示するよりも、ご自身で検索してアクセスするのが早かろうと思います。

『万葉集』『平家物語』『源氏物語』はもとより、『好色五人女』『雨月物語』、夏目漱石の作品群などの多くがダウンロードできます。地方に住んでいる者にとっては、居ながらにして図書館にいるようなもので、ずいぶん助かります。

テキストファイルのものは、じっくり読むのにはそのままではあまり適しません。結局、読みやすい体裁に直してプリントアウトして読むことになります。

ただ、データ化されている利点もある。

やはり検索能力の点で、「ええと、光源氏がナントカ蟬ってな名の女とウンタラ萩という女同士で囲碁をしてるのを盗み見して、『あれがいい』と夜這いをかけたものの、実は違う女性で、でもとりあえずそれでもいいやとコトに及んだ話って何だっけ」なんて具合にうろ覚えのことでも、「碁」とか「蟬」とかで検索をかけると、ぽんと『空蟬』が出てくる。これを紙の『源氏物語』でやるのは大仕事ですわな。

……どうでもいいけど、ほんまに光源氏って節操がない奴だなあ。

6　パソコンだけでは追いつかない

ことほどさように、時代小説を書くためには、パソコンは欠かせない道具ではあります。

ただし、しょせん道具は道具であって、パソコンが原稿を書いてくれるわけではありません。調べものをする効率があがればより多くの資料に目が通せるだけであって、正確な小説と面白い小説はまったく別のものですし。

執筆道具としてのパソコンの限界について

いちばんの欠点は、よく言われるように、その脆弱性でしょう。紙の原稿はついうっかり水に濡らしても、万年筆で書いたのでもなければだいたいどうにかなります。ですが、パソコンは、水は禁物。急激な電圧の変化も絶対禁物。

ぼくの自宅は田圃のなかの一軒家で、周辺でいちばん高い建物は電信柱。したがって、落雷があるとまず電信柱のトランスに落ちる。こうなるとパソコンは一発でパアになるんで、遠くでゴロゴロッと鳴ったら、サクッと原稿を切り上げ、パソコンのコンセントとモデムのケーブルを抜いています。執筆の最大の敵は「落雷」と「停電」ですね。

ソフトウエアは飛躍的に安定してきています。ウィンドウズマシンはもともとマッキントッシュより安定していましたが、マッキントッシュもＯＳＸ以降、ＵＮＩＸベースになってから抜群に安定しています。

ＯＳ９以前は、マシンを新調し、執筆専門にカスタマイズするためにいろいろなソフトをインストールするときや、定期的なメンテナンスをサボると（サボらなくてもちょいちょい）、たちまちシステムエラーを起こしたりハングアップしたりしたものでしたが、今のマシンになってからは、一度もありません。

……でも、信頼性はあくまでも比較の問題で、やはり、いつトラブるかわからない事情はかわらない。こまめなバックアップとプリントアウトは必須ですよね。

コンピューターも風邪をひく

コンピューターウィルスの話。

インターネットも、黎明期《れいめいき》は無数といっていい設定とハングアップとフリーズとシステムエラーの嵐をかいくぐって、だましだましアクセスしたものでしたが、現在はファックスに匹敵する手軽さでアクセスができるようになっています。

ただし、インターネット人口が爆発的に増えたために、パソコンウィルスものべつまくなしに開発されて、すさまじい勢いで繁殖しています。

年々ウィルスは巧妙になっていて、現在はメールに添付ファイルの形で送り付けてくるものが主流になっています。感染すると、ウィルスは被感染パソコンのメールソフトをスキャンして、控えてあるメールアドレスに向けて、ウィルスメールを送りつける、といった具合。

以前はウィルスメールの発信者名と感染者が同じだったので、「ウィルスに感染していますよ」と警告メールを出すのも有効だったのですが、最近のパソコンウィルスは、発信者名もスキャンしたメールアドレスから選んで自動発信するので、ウィルスメールの発信者名と感染者は別のものになっているケースが多くなりました。

流行しているウィルスに対しては、メールがサーバに届いた時点でブロックしてくれたりもするのですが、流行するまでの間は、自分でチェックするしか方法がない。

パソコンは飛躍的に使いやすくなった反面、「よくわからなくても使えてしまう」時代になったせいか、セキュリティに無頓着な人も増えました。

ウィルスなどの予防法は、主に次の三つ。

①セキュリティソフトは常に最新のものにしておく。

②パソコン内を定期的にチェックする。セキュリティソフトで自動でチェックさせる。

③OSは常に最新の状態を保つ。

怪しげなサイトを覗かないことや、フリーのアプリケーションソフトをインストールする場合、うっかり無関係なものをインストールしないことも大切です。

レトロですが、書店で紙のでっかいマニュアル本を一冊購入し、手元に置いておくと、意外と重宝します。

パソコンで時代小説を書こうとすると、出ない文字がいっぱいある

パソコンで変換できない文字が結構あるという問題。

ぼくが四十年ほど前に初めて買ったワープロ専用機では、JISの第一水準漢字までしか変換せず、時代小説どころか、現代小説を書くのでさえ、変換しない文字がたくさんあった。これはこれではなから「その程度のものだ」と割り切って、変換しない文字は空白にし、〇・五ミリの極細のサインペンで手書きで記入して乗り切った。

今は、JISの第二水準の漢字まで変換できて、ずいぶん楽にはなったものの、この第二水準の文字の選定がなかなかのくせ者。

山田耕筰は一発で変換する。「筰」という字はこれにしか使わないんですが。ハゲを気にした山田耕作が、せめて名前の上にだけケを生やしたいから「筰」という文字をわざわ

ざつくった、なんて説があるんですけど、山田耕筰に幼名があった形跡がないので、たぶん嘘でしょう。覚鑁《かくばん》の「鑁」が一発で変換したのには驚きましたが。

吉野家の「吉」の「口」の上は「土」であって「士」じゃないんですが、これは出ない。「吉田」さんのなかには「土」のかたが結構いるんですけど。

本来の文字とプリントアウトされる文字が異なるのもよくあることで、森鴎外のヘンは「区」ではなく「區」だけど、これは基本的には出ない。文字コードをUTF－8にしても出ず、機種依存文字で処理されることが多い。かなり改善されてきてはいますが、出ない文字が意外とある。

時代小説を書くときには、この出力漢字と格闘するケースがずいぶんあります。刀の鞘《さや》の部分で、刀身を入れる箇所を「鯉口《こいぐち》」と呼ぶんですけど、これはまあ、「鯉」も「口」もよく使う文字だから変換できて当然ですわな。

ところが刀身の鍔元にかませて鯉口にかっちりとおさまるようにするための真鍮の金具を「鎺《はばき》」というんですが、これ、ＪＩＳの第二水準にもない。

実際に日本刀を抜いてみればわかることですが、日本刀というのは、そのままえいやっ、とやっても簡単には抜けない。鯉口が鎺《はばき》をかっちりとくわえこんでいるから。

左手で鞘を軽く握り、左手の親指で鍔を軽く押して鎺《はばき》だけを鯉口から外すと、一瞬で抜刀できる。これを「鯉口を切る」とか「鯉口をゆるめる」とか言います。だから、とてもよく使う単語なんですけどね。

「それは特殊な用語だから」と反論が来そうですが、同じく刀剣用語として「笄《こうがい》」は一発で変換する。

和服はポケットとかがなくて収納が厄介なかわり、刀の鞘には小柄《こづか》だとか笄だとかをおさめる、小柄櫃《こづかびつ》や笄櫃《こうがいびつ》などが必ずついている。

鎺《はばき》の用途は一目瞭然ですし、小柄は手裏剣がわりに投げてるシーンを時代劇でときどき見かけますけど、笄は何に使うか、見ただけではわからない……というか、そもそもそんなものがあることすら知られていない。単なる頭掻きなんですけどね。髷を結っていると、頭皮が痒くても簡単には掻けないんで。

仏教用語あたりになると、もっと厄介です。

『般若心経』は日本の仏教のなかでは宗旨に関係なく重用されるせいか、「阿耨多羅《あのくたら》三藐《さんみゃく》三菩《さんぼ》提《だい》」なんて、実に簡単に出る。最後の「羯諦《ぎゃてい》羯諦《ぎゃてい》波羅《はら》羯諦《ぎゃてい》波羅《はら》僧羯諦《そうぎゃてい》菩提《ぼじ》薩婆訶《そわか》」も出るどころか、「呪」の異体字である「咒」もぽんとでる。

じゃあ大丈夫かというと油断できない。以前、『真田密伝』を書いたとき、真言宗の伝説などをからめて書いた。「真言」というのは、神（仏）の言葉で、意味を解説せずにそのまま唱えなければならない。

「おんあびらうんけん」とか「おんさんまやさとばん」とか、平仮名で書いてもいいんですけど、どうも雰囲気がでない。幸い、漢音に移したものがあったので「唵《おん》阿《あ》毘《び》羅《ら》吽《うん》欠《けん》」とやったんですけど、この「唵」が、第二水準にもない。

難儀なことに、「唵」というのは、サンスクリット語の「om」の音写で、呪文の始めに「これから願いごとをとなえますよ」と呼びかけるための語で、多くの真言の最初にはほぼ必ず出てくる頻出漢字でもある。

「外字を作って印字すればいいじゃないか」といわれそうですが、編集部には紙原稿とデータの両方を渡すので、迂闊に外字をつくると、そこを見落とす可能性もある。仕方ないのでゲタをはかせ（「〓」を置いて代用することです）、「【鈴木注・口ヘンに奄】」と書き添えて処理しました。

漢詩を書き添えたときには、元の漢詩の文字がＪＩＳの第一水準・第二水準に含まれているのかどうか、含まれていないのなら異体字で処理することができるのかどうか、なんてのを調べるのに追われましたな。はっきり言ってよほど「手書きにシタロカ」とおもいましたぜ。そのほうが早いんだもの。オノレを知っているので我慢しましたが。

校閲との戦い

まあ、こんな具合でひーこらいいながら書き上げたとしましょう。

本当は、歴史の資料類の多くはまだ紙の資料のままで、パソコンだけでは追いつかないのはそこのところですけどね。

江戸期以前のものは比較的数多く翻刻してあってまだましなんですが、幕末物の資料類は、書簡などが現存しており、断末魔にのたうちまわる蛇のような、判読不明のものに悩まされるらしい。偉い人の書簡は、右筆《ゆうひつ》が書くので、よほど読みやすいんですけど。

いずれにせよ、紙の資料については、二章で詳述するので、ここではその後について。

原稿を書き上げた、何度かの手直しを終えて担当編集者も納得し、社内稟議も通った。その段階で、原稿は印刷所に入稿され、ゲラになってきます。

時代小説が他のジャンルにくらべて特殊なのは、ゲラになった段階で校閲に回されるんですけれど、ここのチェックが厳しいこと。主として時代考証の部分がチェックされてゆきます。

テレビ・映画・劇画などの場合は、考証の正確さよりもストーリーの面白さを優先させる例が顕著ですが、小説の場合は、割合にやかましくいわれる傾向があります。

さる著名な脚本家が、小説家への鞍替えを決意した。作品の出来は抜群で、ストーリー・キャラクター・文章と、三拍子揃った名作の気配をうかがわせるものを四カ月で脱稿し、校閲に回された。ところが、考証よりも面白さを優先させる習性がしみついていたために、校閲から怒濤のように付箋をつけられて戻され、直しては戻し、また朱筆をいれられて突き返され、といった案配で、考証の整理だけで八カ月かかった。

投げ出さずに八カ月も付き合ったその著者には、正直なところ、頭がさがります。脚本家として巨匠だったんだから、帰る場所があるというのに、一年生になって徹底的にやり直す姿勢は、真似できないなあ。

そういえば、河出書房新社で出した『幻術絵師、夢応のまぼろし』を書いていたときのこと。

主人公の絵師、夢応が、岐阜を脱出して伊勢長島に向かうシーンで、「西に養老山脈が」

と書いたら、校閲から「地図をみると、養老山脈は伊勢長島の北西になりますが」とチェックがはいった。で、「いや、たしかにそうかもしれないけど、ぼくが現場で見るかぎりでは、どこまでが養老山脈か、山に線は引いてなかったよ」って答えて決着しました。

現地に住んでると、こういうメリットはありますな。

第二章　時代小説家

投資と資料と勉強と年齢と

前章では、歴史・時代小説のオファーから打ちあわせ、取材から現地踏査、下準備から、執筆、チェック、入稿から校閲のチェック、そして本になるまでの流れをお見せしました。基本的に小説はあくまで小説なんで、書きかたそのものやキャラクターの造型のしかたなどは、現代小説と大差ありません。とはいえ現代小説とずいぶん違うところもあるのもわかっていただけたかなあ。

この章では、時代小説を書く上での注意事項などを。時代考証などは三章に簡単にまとめてあるので、著作権だとか読者層だとか図書館の使いかただとか、まあ、あまり議論の余地がない話を中心にしましょうね。

1　ライバルは司馬遼太郎・藤沢周平・池波正太郎

ものすげえ大上段にかまえた小見出しですが、別段フカシでもなんでもありません。時代小説が、国内ミステリ（海外小説は全般に事情が違うようですが）やホラー、冒険小説、恋愛小説、風俗小説と決定的に違うのは、

「旧刊有利」

という点です。普通の書籍の場合、新刊が圧倒的に有利です。これは記憶で書いているんで出典はパスなんですが、ほとんどの新刊書籍は刊行後一週間で販売のピークを迎え、あとは漸減もしくは急減してゆく。

これは実際に自分で書店に足を運んで確かめてみるといい。

推理小説の場合、作品が二十年生き残っている例は稀です。安定して全国どこの書店でも確実に全作品が入手できるのは、かろうじて江戸川乱歩ぐらい。『少年探偵団』シリーズがポプラ社から、全集が春陽文庫などから刊行されています。

散発的に松本清張や横溝正史が再刊される場合もあるんですが、新刊書を脅かすほどで

はありません……ないと思いたい、か、正確には。

これに対し、時代小説は、圧倒的に先人の作品が強い。文庫、並装、新装版、特装版など、同じ著者の作品が手を替え品を替えて棚を占拠するからたまらない。司馬遼太郎の人気は相変わらずで、時代小説の棚の半分を司馬遼太郎が、残る四分の一を藤沢周平と池波正太郎が、ほいでもって余った四分の一にその他の作品が入る、なんてことも珍しくない。

書店では文庫の棚は出版社別に組まれるんですが、ハードカバーの場合はジャンル別で著者ごとに組まれるのが普通です。

その結果、地方の小書店の時代小説の棚あたりになると、ぼくの著書のとなりに司馬遼太郎の新装版が並んでいたりします。これは、書き手の気分としては参りますね。

のみならず。

「読者の欲する作品世界が、ほとんどすべて出揃ってしまっている」

ってな特色もあります。

推理小説と時代小説を合体させた「捕物帖」は、岡本綺堂『半七捕物帳』をもって嚆矢《こうし》とするのですが、これは大正十二年に新作社から刊行されました（権田萬治＆新保博久

『日本ミステリー事典』)。これは現在でも光文社時代小説文庫版、春陽文庫版、筑摩書房版のいずれでも簡単に全巻の入手ができる。

ホラー小説は時代小説と最も相性がよいもののひとつで、おもいっきり古いところでは著者不明の『今昔物語』(現代語訳はどこでも簡単に手に入る)とか、ラフカディオ・ハーン『怪談』もある。

経営学や政治学は『孫子』の兵法と通じるところが多いせいか、経営者の心得とか政治のありかたを気楽に、かつわかりやすく読むのには歴史小説が適している。会社経営で迷うところがあるならば、司馬遼太郎の歴史小説群がいつでも答えてくれる。

ちょいと泣いて気晴らしがしたければ、山本周五郎や藤沢周平が待っている。

恋愛を楽しみたければ、忘れてはいけない、日本で最初の長編小説『源氏物語』の、現代語訳が簡単に手に入る。「古文の授業で泣かされたから手にとりたくない」とおっしゃる気持ちはよくわかりますが、大丈夫。日本の古文の授業は、わざわざ読みたくなくなるようにカリキュラムが組まれているもんです。『源氏物語』は、本来、ええとこのぼんぼんが金と暇にあかせてやりまくる話なんですから。

肩と脳の凝りをほぐしたければ、山田風太郎の『忍法帖』シリーズや柴田錬三郎の『眠狂四郎』のシリーズ、池波正太郎の作品群、斬ったヤッたの連続でどこから読んでも楽しめる峰隆一郎（注・隆慶一郎ではない）の作品群がある。

インターネットのどこだったかのサイト（出典は失念したのでパス）で見た名言に、

①出世街道を驀進している奴は司馬遼太郎を読み、
②出世をあきらめた奴は藤沢周平を読み、
③蘊蓄を並べたい奴は池波正太郎を読む。

というのがありましたな。

とにかく、時代小説の解説書や入門書でさえ、ほとんどの場合、岡本綺堂から始まって、司馬遼太郎・藤沢周平あたりで止まっているのだからたまらない。

推理小説の場合「十年に一人」とは「逸材」の意味ですが、時代小説・歴史小説の場合には「人並み」の意味でしかない。誇張ではなく、ね。

ところで、時代小説は、誰が読んでいるか。

文芸書籍は商業ベースで考えると零細市場で、マーケティングはなじまない。そのせいもあってか、正確な統計はないのですが、主として中高年の男性が多いような印象は受けています。

女性を主たる読者とするジャンルの場合、新人賞を受賞したばかりの人でも段ボール箱いっぱいのファンレターが来るそうですが、時代小説の場合、時代考証の誤りを指摘する手紙を頂戴することはあるものの、殺到、というほどには反応はない。

若い読者をメインにしているライトノベルの場合、読んだらすぐに新古書店に売る、といったルートをたどるのですが、新古書店ではあまり時代小説を見かけません。もちろん、司馬遼太郎や池波正太郎は見かけますが、これらはそもそも分母が大きいので。

時代小説の主たる読者が中高年の男性だと推測している根拠は、そんなところですか。経営者が経営の指針を学びとるための教科書として歴史小説を読む、といった事情はすでに述べた通り。経営者向けの雑誌で、よく三国志や戦国武将の特集を組んでいるのはそのためです。

時代小説が中高年の男性に読まれる理由は、よくわかっていません。ぼくが知る限りでは二つの説があります。これも出典は失念。
①読者は現実からひとやすみするためにファンタジーを求めている。だが、想像力は経験によって規制される。幼年時代には、光線銃を持って宇宙怪獣を退治することが現

実として想像できたが、加齢とともに、それがあり得ないと知った。

しかしながら、事実はどうあれ、時代小説の舞台は過去には実在していた。そこで、ファンタジーの装置として、時代小説の舞台を求めている。
②読書は幼少時の活字体験が影響する。今の中高年は、少年時代、チャンバラ小説などで活字に触れたために、そのままスライドして現状にいたっている。
どちらが正しいのか、これも不明。①が正しいのなら、高齢化社会に向けて爆発的に時代小説が流行するはずですし、②が正しいのなら、読者は減少しそうなものですが、ぼく自身の経験からすると、初版部数は若干の微増があるだけで、減りはしないものの、爆発的に増えているわけでもない。

軒並みどこの出版社も初版部数を激減させている現状から考えると、時代小説の読者は、あまり景気に左右されていないことだけは確かな様子ですが。

だから。

あなたが（ぼくも、ですけど）時代小説を書く場合、ライバルは同時代の書き手ではありません。先人の、これら時代の波に流されずに生き残ってきた作品群との戦いです。

親ほどの世代の読者に向けて書き、子供の世代の読者の手元に残るように書く。

捕物帖を書くのであれば、岡本綺堂よりもミステリアスに。

ホラーを書くのであれば、鶴屋南北よりも恐ろしく。

失意や無念を書くのであれば、藤沢周平よりも切なく。

現実をわすれて弾《はじ》けたいのであれば、山田風太郎よりも激しく。

「岡本綺堂とくらべられてはたまらない」と言いたいでしょう。ですが、読者の立場になって考えてください。

ありとあらゆる種類の作品が揃っていて、しかも先人の作品は、時代の荒波に揉まれてきたために、（自分の好みに合うかどうかは別にして）読む前から面白さが保証されている。

ですが、あなたの作品は、面白いかどうか、読者には読む前にはわからない。

そして、製本コストや書籍流通の面で、あなたの作品と、先達の巨人たちの著作の価格はほとんどかわらない。

あなたが読者ならば、どちらをとるでしょうか。答えは明白ですね。

「眼高手低」という言葉があります。「批評は上手だが実作は下手であること」と広辞苑にありますが、これはその通り。目が肥えるほどには腕は追いつかない。

時代小説の場合、これに加えて「志」が必要です。幸いなことに「匹夫も志を奪うべからず」と『論語』が説く通り、堅固な志だけは誰でも持てる。

志の高さほどには目は肥えない。目が肥えるほどには腕はあがらない。だから、できる限り高い志を持てば、論理的には腕はあがることになる。もちろん、理屈どおりには物事がすすまないのは、どんな世界でも同じ。

これもまた幸いなことに、高い志を持つための目標は、時代小説の世界ではてんこ盛りにあって困らない。

美味い料理を作るためには、美味い料理を食べ歩くのが最初の一歩、といいます。それと同じことが時代小説でもある、と思ってください。

もちろんライバルの面で時代小説は実に過酷なのですが、過酷なぶんだけ、別の方向で有利な面もあります。

2　定年過ぎても遅くない

拙著『新・何がなんでも作家になりたい！』でも触れましたが、職業として小説家を選択する場合には、他の職業同様、転職年限はあります。もちろん、趣味として小説を書く場合には、何歳であろうと構わないのですが。

娯楽小説は概して他の職業に比べて転職年限は高めで、推理小説の場合なら三十代のなかばぐらいが比較的目につくかな。四十代も珍しくない。

わけても時代小説の世界は、かなり年齢が高い。還暦すぎてからのデビューも珍しくはありません。

普通の会社の場合は、その人の働きぶりに関係なく（多少は関係ある）年齢で区切りますが、小説家の場合は「書けるか書けないか」が問題であって、年齢は関係ない。書けるかどうかは、書き上げた作品で証明できるわけですから。

これはとても大切なことなのですが、小説家は出版社にとって「小説を書く耐久消費財」であって、新人賞などで投下した資本は回収でき、プラスに転じたほうがいい。当然

「耐用年数」は長いほうがいいわけで、作品の水準が同じなら若いほうが有利ではありません。

ここで注意。あくまでも「作品の水準が同じなら」です。若けりゃいいってものじゃない。いい作品を書けるほうが強いのを忘れずに。

時代小説は人生経験

小説家は、税法上、音楽家のほか、のり・はまちの養殖家、漁業とおなじ分類にはいる、きわめて収入の起伏の大きいものです。

自己実現のうんたらといった話は別にして、単純に業種として他の自営業と比べてみましょうか。

努力と労力と情熱と結果と収益の間にまったく相関関係がないのは、どんな自営業でも同じですし、前科があっても学歴がなくてもどうにかなる点も、他の自営業とかわりありません。

そうしたことをふまえたうえで、あえて他の自営業と異なるのは、

①典型的な労働集約的産業で、投下資本、設備投資は少なく、原材料費はさらに少ない。

②個人の資質や運に左右される割合が高い。

といったことですか。

残念なことに、そして大抵の編集者やカルチャーセンターの小説講座の講師が言いたがらないことですが、職業として小説家になるには、天性の資質の占める割合がきわめて高い。ただ、資質が開花するまで書き始めてからどのぐらいかかるか、誰にもわからない、という側面はありますが。

そんななかで、時代小説は、他のジャンルにくらべて努力や経験のはいる余地がいくらか大きいジャンルといえますか。

その理由の第一としては、時代考証の問題があげられます。衣食住のすべてにおいて、まったく別の世界を（ただし過去に実在した世界を）構築するためには、ゼロから書き始めるのは難しく、相応の準備や蓄積が必要だということがあります。

第二の理由は、主たる読者層の年齢が比較的高い、ということがあります。

ぼくは還暦目前。同級生に孫のいる奴もいて、リアップで髪を増やすのは面倒臭くなって塗らなくなり（もう「若ハゲ」じゃないもんなあ）、執筆には老眼鏡のお世話になっているのですが、それでも読者のかたの多くは、ぼくの兄貴ぐらいの年齢です。

普段は極力読者のかたとは距離を置く方針でいるのですが、時折、講演の仕事などで顔を合わせたりすると、冷や汗をかくことが結構あります。

具体的な作品名を上げるのは控えますが、若い読者に爆発的に支持されている作品のいくつかに目を通してみると、首を傾げる場合が少なくありません。

主として「死」だとか「子育て」に関わる部分で、「身内の死は悲しい」「子供はかわいい」といった具合に、実に記号的に描かれていたりする。これは、ちょっと経験すればそんな単純なものじゃないことはすぐにわかる……というか、そこそこの年齢になれば、嫌でも知ることになります。

その反面、現実の感情は、どんな小説よりも陳腐な側面があったりします。愚息が保育園に通いはじめる前の頃、アトピー性皮膚炎で全身が象の肌のようになり、喘息がひどくて女房に羽交い締めにされながら（そうしないと点滴の針を抜いてしまう）酸素テントに入れられているのを見たとき、「何とかかわってやれぬものか」と、思いっきり陳腐な感想を抱いたりしました。

そんな具合に、年齢を重ねてみて初めてわかることが、世のなかにはいっぱいある、ということは、この年になるとわかる。親ぐらいの年代の読者のかたと接するとき、こちらの知らない世界を読者のかたがたがご存じで、それをぼくがわけ知り顔でお話しする場合、冷汗三斗《れいかんさんと》の思いにさせられる、ってわけです。


これは本来小説家が言うべきことではないんですが、

「経験にまさる感動はない」

ということはあります。他のジャンルの小説の場合、「経験していなければ書けない」なんてことを言っていたら、一作か二作、書いたところでたちまち行き詰まります。

推理小説がその典型例で、殺人犯の心理なんてのは、そのまま書いても読者の共感を得られないか、得られたとしても目一杯気分を滅入らせてしまうか……というか、そもそも小説を書くために殺人を犯すことが無茶ですね。

その反面、読者も人を殺した経験がない場合が普通ですから、「調べて書く」といった手法が通用する。リアルとリアリティは別物で、つまらない事実よりも、面白い虚構こそが小説にとって真実です。

時代小説を構成する要素にはいくつかのものがありますが、剣戟《けんげき》シーンあたりは、そういった虚構が重要な箇所でもあります。

据え物斬りなり抜刀術なりの心得があるかたならわかると思いますが、武器としての真剣というのは、決して使い勝手のいいものではない。

一畳分の畳表を巻いて水に浸したもの（今は巻藁よりこちらのほうがよく使われてますね）を両断するためには、足を六方に構え（左足を横に、右足を正面に向けることです）、腰を落とし、十分に間合いをみて、刀身の先、三分の一（物打ちという）で、そして振り下ろす筋と刀の向きが一致して、初めて両断できる。これらはひとつでも間違うと、たちまち刀が折れるか曲がるか刃こぼれをおこし、鞘に収まらなくなってしまう。

現代剣道のような打ち合いを真剣でやった場合、よほど腕に差がない限り、運よく斬れて一人、順当にいって、刀と刀を打ち合わせ、ぼろぼろに刃こぼれをおこして、怪我をさせるのがせいぜい、といったところでしょう。

でも、普通は真剣での斬り合いなんてやらないし、現実に見ることもない。テレビや映画の時代劇で、主役たちがばっさばっさと斬りまくるのを読者は見慣れているでしょうから、読者にとっての真実はむしろこちらのほう。

ただし。

親子の情や夫婦の機微、セックス、死などについて描くとき、場合によっては読者のほうが著者よりも真実も現実も知り尽くしている可能性があるのを忘れてはいけません。

手塩にかけ、入れた箱に鍵をかけまくるほど大切に育てたはずの娘が、ある日突然、七色に染めたモヒカン刈りの男を連れてきて「結婚したいの」と言ってきたりとか、卒倒しそうになるのを堪えつつ、そのタコに「仕事は何だ?」と訊ねたら「小説家か詩人かギタリストになるつもりで、今は職探してるッス」ってなプー太郎だったりするのはよくあること。

んでもって「許さん!」と怒鳴ったら「でも妊娠五カ月なの」と娘に告白され、泣く泣く結婚を許し、晴れて孫が生まれてみると、このスカタンな婿にそっくりだったりする。で、婿は嫌いで仕方なくても、婿に瓜二つの孫は可愛らしくてたまらない。ついでながら、孫を抱いていながらも、娘は処女なんだと信じていたいのも、父親の気持ちだったりします。

ここいらの心理の綾は、知っていても作品に反映できるとは限らないのですが、経験を積んでいるがゆえにはじめてわかる部分も大です。なによりも、こうした心理は、時代に関係なく人間の共通の真理でもありますしね。

還暦すぎての一年生

まあ、こんな具合で、時代小説を書くためには年齢はハンディキャップにはならないと思ってください。推理小説で還暦をすぎてのデビュー、というと、由良三郎氏ぐらいしか思い当たらないのですが、時代小説の場合はときどき見かけます。

隆慶一郎(注・峰隆一郎ではない)が『吉原御免状』で新潮社からデビューしたのは昭和六十一年(一九八六)。大正十二年(一九二三)生まれだから、六十三歳でのデビューになりますね。平成元年(一九八九)に亡くなったので小説家としての活動期間はきわめて短かったのですが、『影武者徳川家康』『一夢庵風流記』など、史実と虚構を複雑に交錯させた名作を残し、大きな影響を残しています。

池宮彰一郎氏も大正十二年生まれ。『四十七人の刺客』で平成四年(一九九二)にデビューしたのが六十九歳。その後の活躍は、説明するまでもありませんね。

この二人ほど有名ではないのですが、ぼくの知人の石川能弘《いしかわよしひろ》さんが『山本勘助』でデビューしたのも還暦をすぎてから。

これはさる時代小説の一般公募の新人賞の選考委員をやっている知人から教えられたの

ですが、六十代で最終選考まで残るケースがすこしずつながら増えてきていて、しかも年々その水準があがってきているそうです。……いや、そもそも、ぼくが時代小説を手がけてから二十五年が過ぎましたが、いまだに時代小説の世界では年少なのが何よりの証拠。むしろ難しいのは、男性で五十歳を過ぎて取締役なり管理職なりで普段頭を下げる機会がない人がデビューした場合、なかなか一年生に戻れない、といったところでしょうか。

何年か前、時代小説家の集まりがあって、さる新人のかたと名刺を交換した。五十代なかばで、名刺は会社のもの。名の知れた放送局の、取締役の肩書きがあった。

場の空気と差し出された名刺から察して、当然これは新人小説家としてではなく、放送局の制作者として、原作の押さえのために出席しておられるのだ、と解釈し、帰宅してから拙著を何冊か、会社宛にお送りした。

それから数日後、「おそれいりますが、以後は貴著は会社ではなく拙宅へお送りくださ い」といった趣旨の丁重な文面の手紙が送られてきました。

たぶんデビューしたばかりで、小説家用の肩書きも何もない名刺を作るのが気恥ずかしかった（意外に、小説家は受賞してデビューしても「プロになった」という実感は希薄なものなんです）んでしょうが、いずれ退職すれば否応なく肩書きは外される。早めにフリーランスの立場に慣れないと困るだろうに、と感じました。幸い、これは今のところ杞憂で、良質な作品を年に一作、というペースを手堅く守っておられる様子ですが。

これは、さるカルチャーセンターの事務局からうかがった話なんですが、「女性は幾つになっても頭を下げられるが、男性は加齢とともに頭が高くなる。その結果、女性は好奇心が旺盛でもそれを満たすだけの知識が得られるが、男性は人に教わるのを嫌う」ってな傾向が顕著なんだそうな。

稲穂はみのるほど頭《こうべ》を垂れるものですが、人間は頭を垂れるほど穂がみのる。

……いや、ぼくは自分のことを棚にあげて言っているわけですが。

3　古文・漢文はこわくない

時代小説を書く場合、多かれ少なかれ、資料や史料との格闘が避けられないのは、諦めてください。どの資料を使うかは人それぞれですし、どこまで史実をなぞるかについても正解はありません。

……ええと、「資料」と「史料」が混在していますが、これは、べつに間違えているわけではありません。史実に関した資料が「史料」。それ以外のものを「資料」と書きわけているので。

時代小説を書くとき、日本史の史料だけでは大抵の場合、足りません。漢籍から引っ張ってくる場合もあれば、和歌から「らしい」セリフを持ってくるとか、米軍や自衛隊の格闘マニュアル、手作りの爆弾のつくりかた、なんてところから知恵を借りたりしますしね。

小説の場合、ぼくは「史実は虚構に奉仕する」という立場を心がけています。歴史小説を書く場合は、過去の史実をもとに現代での生き方を考えなおすことにしていますし、時代小説の場合は舞台を過去に持っていって現代の我々が浮世のうさを晴らせるようにしていますし。だから、登場人物のメンタリティは、基本的には現代人のものです。

東京大学史料編纂所の山本博文教授によれば、江戸期の武士階級のメンタリティは現代人のものとはずいぶん異なり、「恥」「世間」「外聞」「武士の一分」といったものによって左右されているとのことですが、こうしたノーブレス・オブリージュは現代の我々には理解しにくいものですしね。

もっとも、例外はあります。

江戸期以前の日本に普通に存在していて、現在、表向き拒否されているものとして「衆《しゅ》道《どう》（男色）」がありますが、これを理解しないと、徳川綱吉と柳沢吉保の関係、織田信長と浅井長政との愛憎などが説明できないので、嫌悪感を持たれないよう、美しく描くよう、注意しながら触れることにしています。

ぼく自身にはゲイの気配はないので、究極の信頼とか、強者に対するあこがれだとか、そんな具合に外側から解釈するしか方法はありませんが。

地方に住んでいても大丈夫

レトロなやりかたで厄介なように思えるでしょうが、こうした資料類との格闘は、それなりの利点はあります。

安倍晋三と織田信長のどちらがよりアポイントメントをとりやすいかというと、恐山のイタコを通してならばともかく、生きているぶん、安倍晋三のほうがアポをとりやすいはずです。

でも、その生活と意見をたずね、生涯の、政策の成功と失敗を訊ねたいのなら、織田信長のほうが書斎で史料を通じて語ってくれます。

時代小説を書く場合、対面での取材はほとんどありません。別のジャンルで大成した巨匠が、その時代や分野の権威と呼ばれる方からエッセンスを取材するという例はありますが、これはデビュー前の新人が真似できることではありませんしね。

現地踏査をするとき、書簡などが所蔵されている個人宅や寺院を訪れて見せてもらったりする例もあるのですが、「小説を書くため」と目的を明らかにすると取材先の関係者を悪く書けないという欠点があります。デビュー前の新人が「小説を書くため」と目的を明らかにすると、泥棒の下見と誤解される欠点もあります。小説家ないし小説家志望者は、客観的にはきわめて胡散臭くみられているのだという自覚を忘れずに。

幸い、現地踏査を必要とするような場所は史跡が豊富で、観光地の指定を受けていなくても、歴史マニアの訪問慣れをしているケースが多い。現地踏査で個人宅や寺院を訪れる場合には、「歴史が好きで、見て歩いてます。仕事は理髪店やってます。サービス業はこういう趣味にはいいですねぇ、平日の昼間のすいている時間に歩けますんで」なんてな大嘘こいて身元を隠す場合が普通かなあ。

とにかく、こんな具合に対面取材がほとんどない、時代小説の最大のメリットは、「地方在住でも困らない」

点ですね。インターネットを駆使すれば、最新鋭のステルス戦闘機の性能から、バケツでプリンを作る方法まで調べられる時代ですが、それでも現代小説を書く場合には、対面取材は欠かせない。情報の問題ではありません（現代小説で最新の技術を折り込むと、古くなるのも早い）。舞台なりモデルにすべき人間の「顔」「空気」を知るためです。たとえば、代議士にしても、県議からたたきあげてきた人と、二世議員と、エリート官僚から転身した人とでは、持っている顔が違う。

そして、往々にして、「典型的にそういう顔をしている」人は首都圏に一極集中しているのが現状ではあります。

まあ、対面取材の事前準備を十分にして、こまめに上京すればカバーできる問題ではありますし、何を観るかよりもどう書くかのほうが重要だったりする。結局のところ現代小説はモデルを一人からとらないので、対面取材をしないで書くことに慣れてしまえばどうにかなるんですが、慣れないと難しいものでしょうし。

可能な限り一次史料をあたる

学術的には「根本史料」というらしいのですが、原本を元にして翻刻し、脚注や校注が入った程度のものを含めて、ぼくは「一次史料」と呼んでいます。

こうした一次史料を元にして書かれた歴史の啓蒙書、解説書、専門書、現代語訳本などは、可能な限り全体を俯瞰し、インデックスにする程度にとどめておいてください。

ＫＫベストセラーズの「歴史人」やＰＨＰ研究所の「歴史街道」といった歴史雑誌、吉川弘文館の『人物叢書』などは、図版や系図も豊富でわかりやすく、内容も良好かつ廉価で入手もしやすいのですが、これらも参考にとどめ、必ず元史料にあたるようにしてください。

そのいちばんの理由は、著作権法上の問題からです。

資料から文章を丸写しするのを「引用」と言います。これは著作権法で認められてはいますが、引用する場合には引用元を明示する義務があります。『源氏物語』のように底本が何種類もある場合は出版社を併記する必要があります。漢詩を引用する場合、読み下し文は編者によって若干の差異があるので、これも編者や出版社名を明記しなければいけません。

ただ、これは引用する側（書いている、あなたのことです）に引用の意識もあるでしょうし、引用元の明示のガイドラインもほぼ確定しているので、引用する際にどこかに控えをとっておいて、作品が活字になったときに明示すればいいのですが、問題は「参考資料」のほう。

史料はその性格上、必ず事実と史実と意見と主観が混在しています。正史は勝者によって書かれるのは歴史が示す通り。稗史《はいし》は著者の立場が常に正しいという観点で書かれています。

啓蒙書や解説書の場合、主観の混じる部分において、それが元の史料の観点なのか、啓蒙書の著者の主観なのかがわかりにくい。元史料の主観ならばそれは啓蒙書の著者のものではありませんが、啓蒙書の著者の主観の場合、それは啓蒙書の著者のものです。

したがって、参考にとどめて作品に反映する際、最悪の場合、参考にした資料の著者から「盗用された」と訴えられる危険をはらんでいます。

これはジャンルの性格上、歴史小説の場合に、より地雷が多く埋まっています。主人公や敵役や脇役、ストーリーの展開などは、はじめから決まっているわけですから。

たとえば、「二百字以内で徳川家康の事績をまとめなさい」という場合、誰がどんな史料を見て書いても、ほとんど同じものになるはずです（何も見ないでもそうなると思います）。

時代小説だって油断できない。以前、『白浪五人男』（双葉社）を書いたとき、河竹黙阿弥『青砥稿花紅彩画《あおとぞうしはなのにしきえ》』のモデルになった日本左衛門は江戸中期に実在した盗賊団の首領で、その事績は松浦静山『甲子夜話』に断片的に書かれている。

「駿河近辺を拠点に東海道一帯を荒しまわった盗賊集団で、特命を受けた火付盗賊改によって追いつめられ、京都奉行所に自首した」と、断片をまとめておおまかなストーリーを組み上げたとき、いやーな予感がよぎった。ひょっとしたらと書庫をひっくり返して事情が判明。これ、池波正太郎『雲霧仁左衛門』のモデルでもあったんですね。

泣く泣く読み直し、『雲霧～』にない、あんなことやこんな設定をつぎ込んで、どうにかしましたけどね。ちなみに、ゴジラが出てくる拙著がこれ。

古文・漢文は気合いで読める

ものすげえ当たり前なことながら、一次史料は古文または漢文です。

いきなり手書きの古文書《こもんじょ》にあたるのは、さすがにちと根性が要りますが、幸い幕末期のものはともかく、元禄期以前のものでそれなりに信頼のおける史料類は、翻刻されているケースが多い。

元禄期をすぎ、版木による印刷技術が発達して以降は、書籍類は爆発的といっていい量になるので、玉石混交になりますけどね。

古文と聞くと、咄嗟に「已然連用終止連体」とか「主語を省略してうんたらかんたら」とかいったことを連想しがちです。

しかし、一章でもすこし触れた通り、軍記物（これはまあ、小説ですが）だとか、公式記録の場合、その性格上、いわゆる５Ｗ１Ｈがはっきりとかかれています。文章のリズムに身を任せる、という種類のものではなく、誰が、いつ、どこで、何をしたのかを知るための読書ですから、決して高いスキルは必要ありません。

これは忘れられがちなことですが、古文といえども日本語であって、若干の差異はあっても現代国語と基本的な文法はほとんど同じと思って構いません。高校程度の古文の文法の参考書と、ちょっとした古語辞典を手元に置けば、あとは気合いでどうにかなります。いちばんの近道は「慣れ」。とりあえずわからない単語はとばし、ばんばん読むことと、読み続ける習慣をつければ大丈夫。

漢文も同様です。返り点などのついていないままの漢文（白文）である例が多いのですが、気にすることはありません。

実のところ、仮名書きよりも、漢文のほうが意味を把握しやすい構造になっています。主語の次にすぐ述語がきますし、漢字は表意文字なので、読めなくても意味がわかる。「㐮（逃）」とか「幷（並）」とかいった異体字がちょいちょい出てきますが、これも慣れ。高校程度の漢文の参考書が一冊あれば、これも何とかなります。漢和辞典はないと困りますが、諸橋轍次『大漢和辞典』を持って引かずにいるより、『新字源』程度の手軽なものをこまめに引くほうが重要。

とても大切なことなんですが、我々が普段使っている「現代仮名遣い」は、昭和二十一年（一九四六）の内閣告示で定められて以来、七十年ほどの歴史しかない。古文と呼ばれる書籍類の歴史のほうが、圧倒的に長い。その文章を、我々が読めないわけがありませんよね。

これらの史料に目を通すとき、注意しなければならないのは、「記録されているものは非日常」という原則を、つい忘れてしまうことです。今でも、新聞の記事に載るような事件は、非日常ですし。日記類の場合は、この非日常のスケールが小さいだけで、ルーティンな日々が記録されない事情は同じ。

それから、ついつい史料読みに没頭しすぎて、すべてを盛り込もうとしてしまうことがあります。史料というのは、集めるよりも、実は、捨てることのほうが難しいんです。

4 こんな史料を使ってます

ま、よく「史料に淫する」なんて言いかたをしますな。史料や資料は、集め出したらきりがありませんし、読み出してもきりがない。往々にして、史料ってのは面白いものですしね。

前節で「一次史料に目を通そう」と書いたとき、主として著作権の面からお話ししたんですが、実はそれ以上の理由がある。

つまり、「一次史料には宝石が詰まっている」ってことです。啓蒙書や解説書の場合、全体を把握するのにはいいのですが、どうしても著者のフィルターから振り落とされるものがある。往々にして、そんななかに宝石があるものです。

前掲の『祖父物語』は江戸前期、徳川家康の四男、松平忠吉が尾張清洲に転封された頃に著されたもので、尾張清洲朝日村の、柿屋《かきや》喜左衛門の祖父の筆録。聞き書きなので誤伝もあるのですが、ほぼ同時代の人間の話だけに、なかなか迫力があります。

信長が秀吉の顔面に小便をひっかけた話は、司馬遼太郎『国盗り物語』で使われていましたね。

その他にも、明智光秀を討伐したあと、明智光秀の財宝を略奪した秀吉が、「大判ト云者見タルコトモ有マシ（大判なんてものはみたことはないだろう）」と言って、実母（大《おお》政所《まんどころ》）らにばらまいた話なんてのが収録されてます。

この頃の羽柴秀吉は、丹羽長秀、柴田勝家に比肩する、織田の重臣中の重臣のはずなのに、その身内が大判を見たことがないのはなぜだろう、といった具合に、好奇心を刺激させてくれますな。


実のところ、資料や史料は皮肉なことに「高価なものほどモトがとれるのが早い」という原則があります。

初めて『国書偽造』（出版芸術社）という時代小説を書こうとしたとき、東京大学史料編纂所に所蔵されている、当時の裁判記録（『柳川調興公事記録』）を写真複写（古文書なのでゼロックス複写ができなかった）して、これが五万円。それだけでは不足だと判明したので、なかば自棄糞《やけくそ》に『徳川実紀』正続十万円を買った。

『国書偽造』は幸い好評で、四六判ハードカバーのほかに文庫になり、そのぶんだけまとまった印税が入った。

『徳川実紀』君はなかなか働きもので、それ以外にもこまごまとしたコラムや歴史エッセイなどで使い倒しています。よく考えれば、少し長めのコラムを二本書けばモトがとれるわけなんですけどね。『柳川調興公事記録』君のほうは、昨年『中年宮本武蔵』（双葉社）を書いたときに、それなりにお世話になりました。

医学書ほどではありませんが、歴史の史料・専門書はなかなか値段が張ります。そのかわり、医学書と違い、毎年買い替える必要はなく、製本も頑丈で、助かってます。

そうはいっても、デビュー前にあれこれ揃えるのは実際問題としては困難なものです。図書館の利用のしかたについては次節で詳述しますので、ここでは基本的な史料としてどんなものがあるのか、ざっと説明してゆきましょう。

一応、申し上げておきますが、今のところ、ぼくが書いた作品の舞台はすべて日本で、戦国時代、江戸時代初期、元禄時代、文化・文政期、といったところです。他にも基本的で信頼できる史料はいくらでもあるのですが、あくまでもわかる範囲で、と理解していただけると幸いです。

『国史大辞典』（吉川弘文館）

いきなり辞典からはじまって恐縮ですが、今のところ、これをいちばん重宝しています。さんざん「一次史料を読め」と言っておきながら、本書は二次史料とでもいうべきものです、すいません。中身は現代文です。

ぼくが使っているのは、昭和六十年第一版発行・平成九年第一版第五刷のもので、補遺の奥付が平成八年六月一日になっています。

全部で十七冊十五巻。第十五巻の索引は三分冊にされており、上巻は史料・地名・補遺、中巻は人名、下巻は事項、と、紙の辞典としてはたぶん最も充実した索引です。

実のところ、一次史料には間違いが意外と多い。それらを訂正した定説を平易に解説してあります。

もちろん、あくまでも辞典であって、個別の事例・事件について、記載されているスペースは限られています。しかし、項目ごとに参考資料が併記されているので、そこからさらに深く調べることができます。また、古代から昭和にいたるまで、実に幅広い時代をカバーしています。

日本史に関する辞典の最高峰といっていい辞典であって、どの時代を書くにせよ、歴史について何か書くにせよ、まずこの辞典を開き、そこからあんな資料・こんな史料を探して、ってな具合でやってます。

第一の問題は、なにせ紙でできた本なので、検索が厄介なのと、重いこと。

本文は分野別ではなく五十音順に整理されており、いきなり本文を引く手もあるんですけど、それだと調べた項目しかわからない。索引からあたると、関連する項目がまとめて出てくるので、どさどさっと片っ端から広げて縦横に調べられる。

だけど……重いんだ、これが。上質紙を使ってあり、製本が頑丈で、酷使してもびくともしないのはありがたいんですが。

どのぐらいあるものか、ためしにデジタル体重計で計ってみたら、第十一巻一冊だけで三・四キログラムありました。ちょっとした鉄アレイより重い。

もうひとつの問題は価格。新刊の場合だと令和二年三月現在で、税抜き本体価格として一式二十九万円します。新刊が出たので古書価格が下落しましたが、それでも古書相場は十五万円。

絶対に必要になるものだから買っておいたほうがいい、とは断言します。でも、あわてないように。

投下資本を回収できる見込みがないうちに、時代小説や歴史コラムを書くことに特化した二十九万円の辞典をぽんと買えるだけの資力があなたにあるのなら、悪いことは言いません、小説家を目指すより、本業に精を出したほうがいいと思うぞ。

史料や資料が小説を書くわけじゃないのを忘れてはいけません。いきなり買うのは無謀ってものです。まず、幾つかの新人賞に応募して、コンスタントに予選を通るようになってからでいい。

目標にする賞の賞金（高いほうが効果があると思う）を御妻女なりご亭主なりの目の前につきつけ、「一攫千金！　年末ジャンボよりよく当たる！」と気合いでせしめるのが良。基本的にはこれが一揃いと図書館に通い詰める根性があれば、かなりのところまでカバーできるはずです。

ちなみに、令和二年時点では、『国史大辞典』は総合辞書検索サービス『ジャパンナレッジ』で使えるようになっています。

『寛政重修諸家譜《かんせいちょうしゅうしょかふ》』（続群書類従完成会）

多くの日本人名辞典のネタ元です。タイトルが示す通り、江戸後期の寛政十一年（一七九九）、徳川幕府の命令で、諸国の大名と幕臣で御目見《おめみえ》以上の家の系譜と略歴を提出させ、整理・造本したもの。文化九年（一八一二）に完成。

これは翻刻され、洋装本となって、現在は続群書類従完成会から刊行されています。索引四巻、本文十九巻の、合計二十三冊。

索引は、「姓」「諱《いみな》（本名です）」「称呼《しょうこ》（通称。「浅之助」とか「熊千代」とか）」「官名（「右大臣」とか「掃部助《かもんのすけ》」とか）」「国名（「越前守」とか「但馬守」とか）」のどれからでも引けるようになっています。

なにぶん、提出者の自己申告なんで、自分の家に都合の悪いことは小さく、都合のいいことは派手に書いてあるので、事績については他の史料と突き合わせる手間はかかります。あと、文化九年に完成して以降の人名がないので、幕末期の役職などを確かめるのには向いていません。

そのかわり、歴史の端役のそのまた端役までかなり詳しくわかるので、重宝しています。

『徳川実紀』『続徳川実紀』（**『国史大系』所収・吉川弘文館**）

徳川家康から徳川慶喜までの、徳川幕府の公式記録です。正続あわせて十五巻。内容は編年体で、それぞれの将軍ごとに附録がついています。

本文のほうはいたって地味で、えんえんと人事異動だとか昇進だとか法令の発布などが記載されています。附録のほうが読み物としては面白いかな。

徳川家光は家康を異常なまでに尊敬していて、「権現様」と口にするたびに、どこに向かってだか頭をさげた、なんて具合に、誰か止める奴はいなかったのかおいおいな話なんぞが満載。

現在のところ、『徳川実紀』は国立国会図書館デジタルコレクションで検索をかけると、内容が読めます（未公開のものもあります）。製本されたものが欲しい場合には、吉川弘文館からオンデマンド版が入手できます。

『群書類従』『続群書類従』（**続群書類従完成会**）

日本の古書を集め、分類し、翻刻した叢書。江戸後期、塙保己一《はなわほきいち》によって編集されたもので、文政五年（一八二二）に正続完結。『十七箇条憲法』（推古十二年＝六〇四）から

『天台正嫡梶井門跡略系譜』（文化十三年＝一八一六）まで、三千を超える古書が収録されており、これを「神祇」「装束」「連歌」「飲食」「合戦」など、二十五種類に分類し、目録、五十音順索引、文献年表をつけたもの。

洋装に装丁し直され、正続あわせて百十六冊。普段は索引だけを手元に置き、本体は必要に応じて書庫からひっぱり出しています。

古書価格だと正続あわせて三十五万円しました。これはたまらんので最初正編だけを八万円で購入したのですが、戦国時代の合戦物・軍記物の多くが続編に収録されている。やむなく続編だけを二十九万円で買い足しました。結局三十七万円。くそぉ。

似たようなことを考える奴は多いらしく、神保町の古書店から毎年送られてくる古書目録では、正続を分けて売ってたりします。

だいたいのところはカバーできるのですが、軍記物のたぐいは、これだけではどの程度信頼を置いていいものかわからない。

そのための解説書として『群書解題』（続群書類従完成会）が刊行されています。『群書類従』正続すべてについて、「書名由来」「作者」「成立」「内容概略」が解説され、その信頼性などにも言及しています。全十三巻。八木書店から、オンデマンド版が発売中。十三万円。

同種の叢書には、『大日本近世史料《だいにつぽんきんせいしりよう》』などがあります。また、元の史料を分野別に割裂収録した『古事類苑《こじるいえん》』、編年式に割裂収録した『大日本史料《だいにつぽんしりよう》』などがあります。

『大日本史料』『大日本近世史料』は現在、東京大学史料編纂所のデータベースに収納。かつて古書価格で九百五十万円したものが無料で読めることには感動さえ覚えます。『古事類苑』は総合辞書検索サービス『ジャパンナレッジ』に収録されています。

5　図書館をつかいまくれ

小説の入門書には、おためごかしにさも簡単に手間もかけず小説を書けるように説いているものをみかけますが、本書ではそんな嘘はつきますまい。

正直に申し上げましょう。時代小説を書くための、資料代は、かなりかかります。

資料代にはそれなりの覚悟を

とりあえず、まずぜったいに必要で手元に置かなければならないものから。

古語辞典、漢和辞典、古文・漢文の解説書（参考書）は、もしあなたが高校生の子供を持っているのなら、そこからムシって構いません。親の金で学校に通っている間は、勉強はしないものです。書籍は、熱心に読む人の手元にあることが、その本にとっていちばん幸福なのだと割り切りましょう。

……もちろん、お子さんが熱心に勉強していたら話は別ですが。この場合にはブックオフなどの新古書店に足を運んでみましょう。卒業と同時に叩き売られたものを入手できると思います。パソコンの入門書と違い、古語辞典や古文の参考書は、何年経っても内容は古くなりません。

織田信長と戦国時代についての最も基本となる史料『信長公記』は、戦国物を書く場合には辞書のようにこまめに引くことになるので、常備しておかなければならない。奥野高広校注の角川文庫ソフィア版は読み下し文に翻刻してあるうえ、脚注が充実し、登場人物作品も附録されています。現在は絶版になってますが、古書としては比較的入手が容易なので、検索して取り寄せるのがいいでしょう。

榊山潤訳『現代語訳　信長公記』（ちくま学芸文庫）は電子書籍として刊行されている

ので絶版の心配が少ない。一九八〇年に翻訳されたものですので、注意は必要。

歴史関係の啓蒙書籍、というと、吉川弘文館やＰＨＰ研究所、ＮＨＫ出版、中央公論新社などがすぐに頭にうかびます。電子書籍は資料としては読みにくい反面、絶版の心配が少ない（ないわけではない）といったメリットは大きい。『現代語訳　三河物語』『現代語訳　甲陽軍鑑』（いずれもちくま学芸文庫）などの現代語訳が電子書籍での入手が可能です。

古文のまま翻刻した廉価書籍は、やはり岩波文庫が圧倒的に強い。『風姿花伝』（これは能の伝書ですが、小説の入門書として読んでも抜群の価値があります）『五輪書』のほか、漢詩、和歌などの選集も手にはいる。

あなたがもし江戸の市井物を書くつもりでいるのなら、『近世風俗志』（『守貞漫稿』または『守貞謾稿』）は無理してでも購入したほうがいい。これは江戸および大坂（今の大阪）の風俗の百科事典で、「生業」「貨幣」「遊技」などの項目別に全三十巻・補遺五巻にまとめられたもの。図版が豊富で、索引もついています。岩波文庫から全五冊で発売されています（現在は絶版）。

「なんだぁ、そんなにかからないじゃないか」と感じたそこのあなた。輝一郎の策謀にかかってます。先に万単位の史料を提示しておけば刺激が少なかろうってな思惑があったので。ほぉら、資料に関するあなたの金銭感覚は、マヒしているでしょう。

あなたの今月の小遣いをちょっと思い出してください。『近世風俗志』は本体価格で一冊千円以内ですけど、五冊揃えなければ意味がない。あなたは、四千七百円の本を買ったことがありますか。

資料代の重さは、絶対価格ではありません。可処分所得のなかの「読んでる係数」の高さによって、負担の軽重がきまります。

さて、そこで深呼吸してくださいな。

デビューするまでは資料代はすべて持ち出し

拙著『新・何がなんでも作家になりたい！』のなかの「小説外執筆環境を整えなさい」で、すこし触れましたが、デビュー前のそこのあなたは、客観的にみて、夜の団欒にも加わらず、日曜や祝日も家族をどこにも連れてゆかず、家事をまったく手伝わないうえに、ときどき自分の世界に不意に没入してふふふふふふふふと虚空を眺めて笑ったりする、不気味でアブナくてイッてしまっている、引きこもりの（書斎があれば。なければ「放し飼い」の）ぐうたら者だということを、まず自覚してください。

時代小説を書く場合、これに加えて、「何のトクにもならない本を次から次へと買ってくる大馬鹿野郎」といった評価があなたに下されます。

忘れてはいけません。「掃部頭」が「かもんのかみ」と読めても、それが井伊直弼《なおすけ》の官名だと知っていても、「掃部頭」の起源が平安時代の宮中の清掃をつかさどる「掃部寮」の長官だったと知っていても、家庭内では絶対に尊敬されません。

そんな知識を開陳すればするほど、ご妻女の脳裏には「そのことを知るのにいくらかかったのか」という具体的な数字が駆けめぐり、その神経を逆撫ですることになります。

とても大切なことですが、家庭内では、掃除という字が書けても、掃除ができなければ何もなりません。瓶詰めの原理をパスツールが発明したことを披露するより、ご妻女が開けられない瓶のフタを開ける体力のほうが重宝されます。

前節で「一攫千金！　年末ジャンボよりよく当たる！」と気合いで資料をせしめる方法をお勧めしましたが、この手はここ一番というときしか通用しないのものだと思ってください。

いかにも、コンスタントに新人賞の予選を通るようになれば、数字の上では受賞する確率は年末ジャンボ宝くじで三億当てるよりも高い。

しかしながら、宝くじは運だけで勝負できる一方、新人賞の受賞には、運のほかに実力が必要だということを忘れないでください。運だけなら当たることもある。実力が要素に加わると、永久にハズレ続ける可能性も十分にある。人間、自分の実力は自分がいちばんわからない。

何よりも、宝くじでスるのは金だけですが、新人賞の受賞でスるのは人生だということを忘れてはいけません。投稿しているあなたのじゃない。ご妻女の人生を、です。

プロの場合、資料は投資であって、回収の見込みがあるからこそ、相応の無理もききますが、デビューするまでは、すべての資料は完全に持ち出しです。

資料が、床板を抜くほど、ないしはマンションの梁が曲がって階下の住人から窓が開けられなくなったと苦情がくるほど溜まったとして、それでも万年予選通過者のポジションから抜け出せずに最終選考まで残らず、貯金の取り崩しどころか、子供のお年玉に手をつけなければならないほどやばくなったとき、ご妻女のとる最良の方法は、とっとと離婚して財産分与と子供の養育費をせしめることだということを忘れてはいけません。

当たらなければ捨てられる。宝くじも、あなたも。

図書館をつかいたおせ

文庫・新書版の資料・史料については、なまじ複写するとコピー代のほうが高くつくので、インターネット書店で取り寄せるなり、ジュンク堂書店池袋本店や紀伊國屋書店新宿本店、三省堂書店神保町本店といった、専門書の在庫に重点を置いている書店に足を運ぶなりするほうがいいのですが、それ以上に踏み込んだ史料については、図書館をがんがん利用するのを強くお勧めします。

近年、公立の図書館は利用者の質ではなく数を問われるようになったせいか、新刊文芸書を大量に買い込み、無料貸本屋の様相を呈していますが、『史籍集覧』や『群書類従』などは、洋装・翻刻版でも初版は明治や大正年間なので、そうした近年の動きとは無縁。もともと古いのだから、古さを気にする必要もありません。

この種の書籍は大抵は貸し出しが禁止されているので、事前の準備を入念にやり、必要な箇所を片っ端からコピーするのがいいでしょう。

「コピー代がかかるじゃないか」と心配でしょうが、これもまず大丈夫。

たとえば『群書類従』正続百十六冊、収録書籍三千あまり、と聞くと腰が引けるでしょうが、逆算すれば一冊あたり二十六巻弱が収録されている計算になる。『お湯殿の上の日記』だけで十一冊を占めているので、実際にはもっと沢山収録されている。

何度か引用している『祖父物語』も、『続群書類従』合戦部第二十一輯《しゅう》上に収録されていますが、これは上下二段組みの、わずか十四ページの史料です。

『群書類従』は、いわば巨大な百科事典であって、実のところ、その全部を使うことはありません。必要な時代の必要な史料を適宜書庫から持ってきて目を通す、といった使い方が主です。

にもかかわらずぼくがこれを購入したのは、一応これでもプロなので、こまごまとした史料にあたるために図書館に足を運ぶ「時間」というコストを削減したいから、です。

現に『史籍集覧』は持っていませんが、これは『続群書類従』と収録書の重複がかなりあるから。正続『群書類従』に収録されておらず、『史籍集覧』に収録されているのがわかっている場合（『国史大辞典』にそれらの収録書籍のリストが明示されている）で、必要と思われる史料は、県立図書館でコピーしています。

『徳川実紀』も同様。十五冊ぜんぶを使うことはありません。作品の舞台背景となる時代が決まったら、その時代の正史を徹底的に読み込みはしますが（そして片っ端から忘れもしますが）、これもまた、事前のプロットを組んだ時点で、関係箇所を図書館でコピーすればどうにかなります。

作品のプロットを組むのと並行して登場人物の一覧を作るでしょうが、これがあれば『寛政重修諸家譜』で関係者を片っ端から探し出し、関係部分をコピーしてゆけばいい。

あまり詳しく書くと、「そんな、図書館で済む史料類をお前はン百万かけて揃えたのかっ！（前掲書以外にもいっぱい買ってるんです、はい）」と家人から回し蹴りを食らうので、ここらへんでやめておきますが、要領としてはこんな具合です。

さすがに『大日本史料』まで置いている図書館は少ないと思いますが、『群書類従』や『古事類苑』『史籍集覧』程度はそこそこの規模と歴史を持つ図書館ならだいたい置いてある。県立図書館規模なら必ず置いてあります。

事前の準備を十分にしておくこと、それから、調べるまえに図書館で蔵書しているかどうか、必ず確認しておくこと。インターネットで蔵書目録が公開されています。

ついでながら、国立国会図書館法の関係で、公刊されている書籍は永田町にある国会図書館に所蔵することが定められています。どこを探してもない史料の場合、最後の手段として国会図書館に足を運ぶという手はあります。

なんでこれが「最後の手段」なのかというと、国会図書館では著作権の適用が厳格で、一人一日あたりの複写分量が決められているから。地方在住の人間を泣かせるような法律ですが、こういう場合には在京の知人や親戚を動員して、せえのと一斉に足を運んで複写する。

なんだかバーゲンの「おひとりさま一個限り」ってのにジジババガキを動員するみたいですな。

最後に重要なことを。資料代や史料代、史料のコピー代などは、必ず領収書をとっておくように。時代小説が他の分野と決定的に違うのは、「資料が経費として認められやすい」ってことです。まあ、時代小説を書く以外に使わないような史料ばかりだから当然ですが。

なぜ経費のことを考えなきゃいけないか？　ですか。それは、あなたが受賞したとき、受賞賞金から税金を無駄にぶんどられないためのものです。

書いて、投稿を続けている限り、あなたには受賞のチャンスがあることを、ぜったいに忘れてはいけません。あなたと、あなたに賭けている人のためにね。

第三章　ここでコケない勘どころ

時代考証の初歩の初歩

1　目立つところでしくじらない

実名を出すのは控えますが、以下は実話。

先年、新刊の新書版の時代推理小説を読もうとしたときのこと。場所は京都。舞台は室町前期。ページをあけたとたん、「八月の京都は暑い。盂蘭盆会《うらぼんえ》を迎えて大文字焼きがうんたらかんたら」といった描写（詳細はパスね）から始まる。一瞬誤植かとおもい、先にざっと全体に目を通して暦法をチェックしてみると、新暦と旧暦が混在していた。

著者は、当時、デビューほどない新人ながら現代物の推理小説では人気のあるかたで、固定ファンもついている。これが初めての時代小説で、版元のその部署も、現代物には強くても時代ものには決して強いとはいえない。

盂蘭盆会は本来七月の行事だし、厳密に旧暦をはじき出せば暑い八月もなくはないだろうけど、花札をみればわかる通り、一般的な感覚としては、旧暦の八月は「秋」。

これが作品の中ほどにうっかりまぎれ込んでいるのならともかく、冒頭のツカミのシーンでいきなり、ではいかにもまずい。たかが（後述するように「たかが」です）時代考証の間違いぐらいで潰されたりしたら、同業者として見るにしのびない。出過ぎた真似だと承知の上で、編集部宛てにざっと指摘の手紙を送った。

すぐに著者から丁重な礼状が送られてきて、「重版の際に訂正しておきます」とあった。

そして、重版時に、丹念に手がいれられたものが送られてきました——重版がかかったんです、この出版超不況の時代に、しかも冒頭で思いっきり考証でミスしているにもかかわらず。

この作品は好評で、シリーズ化され、何冊か続刊が出ています。

本件は、「考証とは何か」について、なかなか、考えさせられる一件でありました。

三田村《みたむら》鳶魚《えんぎょ》の呪縛

……と言っても、三田村鳶魚そのものを知らないケースが増えてきてますので、説明が必要ですね。

三田村鳶魚というのは、明治から昭和のはじめにかけて活躍した、在野の江戸文化研究家です。現在では「知る人ぞ知る」といった位置にあるのかな。現代仮名遣いにあらためられ、今でも中公文庫でほとんどの著作が入手できます。

全体としては、短めのコラムが中心です。系統だった論文集というより、あちこちに書いたらしいコラムを分野別に編集しなおした、といった体裁をとっており、気軽に拾い読みできる利点はあります。

その歴史コラムは、裏をとってゆくと信頼性は高いらしい（山本博文『江戸を楽しむ——三田村鳶魚の世界』）のですが、その多くは依拠している文献を明示しておらず、ぼくは参考程度にとどめています。

ところがこの三田村鳶魚、『大衆文芸評判記』で、吉川英治『鳴門秘帖』や佐々木味津三『旗本退屈男』、林不忘『新版大岡政談』（丹下左膳が出てくる作品です）などなど、当時爆発的に売れていた時代小説の、考証間違いを片っ端から俎上に載せて糞味噌にけなした。沖積舎から復刻版が刊行されていますが、実作者の立場から読むと「もうちょっと他に言い回しがあるだろ」ってな気分にさせられるほど容赦ない筆調です。

この影響は大きく、また、作品の重箱の隅をつつくのには時代考証はいちばんやりやすいこともあって、時代小説家はかなり考証に気を使うようになった。

そのこと自体は悪くはないとおもいます。面白い小説と正確な小説は両立とか並行とかいうことではなく、本来別次元の問題なのですが、考証をやかましくいわれるようになってからは、相応な正確さをどの時代小説家も心がけるようになった。

この結果、かつては子供の娯楽や暇人の安い遊びだった時代小説が、その多くが格調高いものとして扱われるようになってきています。実際に格調高いかどうかは別問題。

反面、往々にして、時代小説を書くときに考証にばかり気をとられて、本筋が凡庸になってしまうのはよくあります（ぼくもある）。

時代小説を読んでいて、どうしても時代考証のアラが目について仕方ない場合がありま す。その場合、時代考証の間違いを探すよりも先に、作品自体の構造を点検することが重要だったりします。いや、なかなか嫌らしい読み方ですが、小説を書くために読むのと、楽しむために読むのとは、違うものですから。

こうした場合、むしろ登場人物の魅力の弱さ——行動に目的がないとか、人物造形が一面的だとか、セリフが凡庸だとか、主人公以外の脇役がただの記号になっていたりとか、といった原因が判明するかもしれません。

さもなければストーリーが弱い——起伏に乏しいとか、背景説明にもたついているとか、次にページを開くための「物語の謎」が弱いとか、そんな原因が出てくると思います。

万全を期し、幾度となく校閲や編集者が目を通しても、時代考証の間違いは、必ず発生します。考証のチェックは、モグラ叩きみたいなものだと思ってください。

書き上げてから作品全体を覆すような文書が発見される例もあります。異なる学説が並立していて、どれかを採ると、別の学説の信奉者から抗議がくる場合もあります。

また、浅野内匠頭の刃傷事件の動機や、明智光秀の反逆の動機、木下藤吉郎の若年時代の生活など、真相はいまだに闇のなか、といった、地雷原なのか宝の山なのかわからないものもあります。

考証のアラが目につく作品は、間違っているからではなく、作品自体の持つ力が弱い、と考えていただくのがいちばん正しいかな。

ディテール書割説

これは由良三郎氏の説だったと思うんですが、手もとにある資料では確認できないので、記憶で。間違っていたらごめんなさい。もともとは推理小説の話です。

まず「ディテール」とは、作品を書く際の細部のこと。

「峠を攻めた。ヘアピン。フルスロットル。スローインなぞくそくらえ。だがドリフト。サスが泣く。しかたない。カウンターをあてた」

ってな具合に「それっぽい用語」だけを書くと、何のことやらさっぱりわからない。ただ、この前に、主人公がスポーツカーかそのたぐいのものに乗っていて、目があった相手と行きずりのカーレースを山道でやろうとした、なんてことが書かれてあれば、

「ヘアピンカーブにさしかかってアクセルを踏み、かなり無理なコーナリングをして、後輪が滑り、ハンドル操作も難しくなったので、大回りになるのを承知で、やむなくカウンターステアをあてた」

なんて、細かく説明しなくても、雰囲気がでる。

「書割《かきわり》」とは、舞台の大道具の一種で、背景を書きこんだもの。

もともとは歌舞伎・文楽に由来するもので、「一定の書式によって背景の配置を割り付けるから」という説と、「いくつかの張り物に割って描いたから」との説がある（『国史大辞典』）そうですが、今では大衆演劇の背景に、垂れ幕みたいにして描かれてたりしてますね。

で、この書割、実のところ、あまり詳しく描く必要がない。商業演劇の場合でさえ、舞台転換を迅速にするために、書割を省略するケースもちょいちょい見かけます。

それでよく通用するものだ、といいたいところですけど、実は違う。

たとえば書割に、雪を戴いたコニーデ式火山の、どこをどう見ても富士山にしか見えない山が描かれたとしても、その前で島田正吾が国定忠治に扮した旅姿で長ドスを抜いて見得をきれば、富士山のはずなのに赤城山にちゃんと見える。

現代小説でも同種のことがある。

さるハードボイルドの巨匠は、ながらく運転免許証を持っていなかった。

で、ある作品で、主人公が車を急発進させるシーンを書いた。

「急いでいた。ギアをトップにいれ、キーをまわした」

これ、三刷になるまで、誰も気がつかなかった。読者から「それだとエンストするだろ」と指摘があって、初めて判明した。わかってしまうと笑い話ですが、誰も気付かないだけの力がその巨匠の作品に、あったことの証明でもあります。

目立つところでミスしない

しかし、実際のところ、そうも言ってはいられない。書割の富士山を赤城山に見せるのは実力次第で、天性のものもある。国定忠治をやると決めたとき、島田正吾になれるかどうかはわからないけど、赤城山の写真があれば、書割だけは正確に描ける。

さんざん資料や史料について書いておきながら、こういう書き方をするのも我ながらどうかとは思うんですが、時代考証は「失敗しないための保険」程度のものだと考えてください。

とても大切なことですが、あくまでも「たかが時代考証」の失敗で、作品全体の印象をそこねることはない。これは、努力でどうにかなる。

そこで小見出し。どこが「目立つ」ところなのか。

まず、当然ながら「作品の冒頭」。

節頭で例をあげた作品が、冒頭の導入部分で大ポカをやったのにもかかわらず、好評を博しているのは、ひとえにその作品が群を抜いていい作品だったことに尽きます。

重版がかかって、シリーズ化されたのをみると、正直なところ、敵に塩を送ったような気はしますけどね。ただまあ、賞レースはゼロサムゲームですけど、他人の売れる売れないと、自分の売れる売れないは関係ないからなあ。

次に「作品の重心の位置」。

どんな作品にも、テーマがあり、その「重心」があります。たとえば、花鳥風月の移り変わりが作品のテーマに絡んでくる場合、季節の描写でミスをすると目立つ。

小説をあまり具体的に例にあげると自分の首を絞めるので、映像を例にあげましょう。たとえば『てなもんや三度笠』(DVDで傑作選が入手できます。今みてもぜんぜん古くないのがすごい)の場合、メインのひとつに藤田まこと・白木みのる・財津一郎のトリオの歌があるので、これが上手くなければ話にならない。また、藤田まこと扮する「あんかけの時次郎」は「(三枚目だが)俺がこんなに強いのも、当たり前田のクラッカー」と冒頭で言う以上、殺陣できちんと(それもギャグをかませながら)強さを表現しなければならない。……それができたから、四十パーセントを超える視聴率を得たわけですね。

具体名は伏せますが、さる新人の、幕末期を舞台にした時代小説で、ストーリーの流れに雨が密接にからむ作品があった。

作品自体はしっとりと、滋味にあふれたいい作品だったのですが、主人公の女性のところに、急な報せを書き記した書状が、夜中に、たたきつける雨のなか、とどけられた。とどけたのが武士だったのは、ストーリーとして、まあ、いい。しかしこの書状が、武士の懐中からいきなり取り出されて主人公の前に広げられた。

「墨書きの書状が、雨でにじんで読むのに難儀した」とかいったことを、ひとこと書き添えるだけで、その緊迫感が一層増したと思うんですけどね。雨のなか、油紙ひとつ包まずに墨書きの書状がつきだされたシーンを想像すると、やはり作品の詰めが気になります。

それにしても。

溜め息ついてちゃいかんのでしょうけどね。『国盗り物語』の斎藤道三編を司馬遼太郎が書いていたとき、まさか後年、「実は親子二代の国盗りだった」と判明するとは思ってなかったでしょう。しかし、そんなことはわかっていても「それはそれ、これはこれ」と、斎藤道三編を読み返すたびに、面白くて夢中になりますね。

いや、ほんと、時代考証って何なんだと思いますけどね。愚痴っても始まらない。次節からは具体的に解説しましょう。

2　江戸時代　二百六十年あるのを忘れない

緩慢で固定された政府

徳川幕府は慶長八年（一六〇三）に徳川家康が征夷大将軍に任ぜられてから、十五代徳川慶喜が慶応三年（一八六七）に大政奉還するまで、二百六十五年間続きました。職制について若干の変動はありますが、基本的に世襲による「将軍」を頂点とした独裁制（正確には複雑なので後述）です。

実は単一の統一政権が二百六十年も続いた例は、何千年かの歴史を持つ中国でさえ、「唐」（六一八〜九〇七）、「明」（一三六八〜一六四四）の二つしかない。しかも徳川政権下では、瓦解期以外、国内を二分するような内戦の経験も、外国との交戦もない。

豊臣秀頼を首魁とした「大坂夏の陣」（元和元年＝一六一五）による豊臣の滅亡をもって戦国時代を終えたとする場合が普通ですが、実際のところ、これは戦う前から徳川方と豊臣方との間に圧倒的な兵力の差があり、豊臣方の敗北は明らかだった。内戦というよりは、「戦場」という職場を失った武士によるデモ、とみたほうが、より正しいでしょう。「島原の乱」（寛永十四〜十五年＝一六三七〜三八）は、あくまでも一揆の扱いで、政権の転覆をはかったものではありませんしね。

徳川政権がこれほど安定していた第一の理由は、徳川政権が体裁上は独裁制をとっていながら、その実態は、将軍の資質によって「完全な独裁制」「大老や大老格によるゆるやかな独裁制」「老中たちによる合議制」が、それぞれ使いわけられていたことがあげられます。これは世界的にも例をあまりみない、珍しい制度です。

強権的な独裁制は、優秀で清潔で公平な指導者を得られれば、迅速な決断、機動力、大局的・長期的視野に立った政策決定を行えるという長所があります。ただし、指導者個人の資質に大きく左右される欠点もあわせ持つので、政治のシステムとしては、本来はきわめてリスクが高いものではあります。

徳川幕府創成期の徳川家康・秀忠、法整備の充実に力をいれた家光、本来軍事政権である徳川幕府を文治政治へと脱却させた綱吉（この人の評価は分かれるでしょうが）、極端な緊縮財政と「足高制」による人材登用などで幕府財政の再建をなしとげた吉宗が、これにあたりますか。

ついでながら、将軍が老齢であったり、世情不安、後継者の資質に難がある場合、隠居して「大御所」となり、新将軍に研修させる制度もあります。幸いというべきか、新将軍を大御所が解任した例はありませんでしたが。

将軍が老齢で職務の遂行が困難な場合、急な襲職により指導が必要な場合、あるいは政局が困難にさしかかった場合などは、臨時で大老または大老格が置かれました。ちなみに「大老」という職名は元禄期以降なので注意。

これは徳川綱吉が襲職した当時の堀田正俊、徳川綱吉が老齢期の柳沢吉保（注・大老格）、幕末期の井伊直弼などがいます。大老職は一部の例外を除いては、事実上の名誉職または将軍の教育係、将軍の職務軽減の交通整理係で、直接幕政を決裁する権限がないのがふつうです。

老中たちによる合議制度は、主として将軍が年少の場合や将軍の資質に問題がある場合に行われました。四代家綱は十一歳、七代家継は五歳で襲職。九代家重は知的障害と言語障害が顕著で、その発言は側用人大岡忠光だけが聞き取れた、といった具合です。ついでながら書いておくと、「老中」の称号は寛永期以降のものなので、これも要注意。

また、世界的にみても権限（職）と富（禄）と地位（格）の集中を避けた政権は珍しい。

老中は基本的に三万石以上十二万石以下の譜代大名から選ばれました。つまり、裕福な者には権限を与えられなかった。

地位については、武田（武田信玄の家系です）、織田（織田信長の家系）、今川（または品川。今川義元の家系）などの旧家は家名を存続させ、高い官位を与えられる一方、扶持は低く抑えられました。

財産の多寡と権限の強大さと社会的地位が一致していない、という例は現代でもめずらしく（普通はこの三つは比例している）、そのメンタリティは、われわれにはきわめて理解しにくいものでもあります。

身辺に物があふれた時代

技術的な変化についても、信じられないほど緩慢です。これは鎖国政策によって新しいテクノロジーの流入量が僅少であったことと、戦争がなかったために新たな技術の導入や発達の必要性に乏しかったことがあげられます。

主たる交通機関は徒歩で、これは江戸時代のすべてを通じて変化ありません。物流の主力は輸送コストの理由から水運で、これも江戸時代のすべてを通じて変化ありません。

衣服は木綿が中心。家康の時代こそ朝鮮からの輸入に頼っていたものの、江戸時代初期に綿花の国内生産に成功して以来、衣服の流行の盛衰はありましたが、素材に変化はほとんどありません。

衣服は現代の感覚からすると高価なもので、そのために「追い剝ぎ」は身ぐるみはいでいった。和服はその性格上、身体のサイズにかなり柔軟に対応できることもあって、江戸期を通じて古着屋が繁盛していた事情もかわらない。

履き物は藁を原料とした草鞋《わらじ》、草履《ぞうり》が主で、これに下駄などが加わります。

食については、米飯が中心で、これも江戸期を通じて大きな変化はありません。江戸府内では精米したものを食していたためにビタミンが不足し、脚気が頻発しました。脚気を「江戸わずらい」ともいうのは周知の通り。逆に考えると、精米しただけで脚気が発生するほど、江戸時代の食生活は米飯に依存していたともいえます。

住居については、前掲の『近世風俗志』に図版とともに解説されています。江戸府内は武士の住まいも地位によって違い、庶民の住居も、度重なる火災にもかかわらず、ほとんど進歩していません。江戸初期に草葺きだったものが、防火上の理由から板葺きになった程度です。瓦葺きにするのも、ながらく禁じられていました。

屋内照明については、江戸期に櫨《はぜ》から和蠟燭を作る製法が流通して、かなり安価になったとはいえ、やはり主流は油皿に灯芯をたらして火をつける「行灯」。「蠟燭の流れ買い」といって、燭台からあふれたり垂れたりした蠟をあつめて買い取るリサイクル業者がいたそうですから。

根本的なエネルギーは、衣食住のすべてを短期的太陽エネルギーに依存しています。建築物を除けば、一年から数年程度の太陽エネルギーの蓄積でまかなっていたと思ってください。

こうやって衣食住を列記すると、江戸期は極貧の生活を強いられているみたいですね。しかし、ひとつずつ要素を点検してみてください。当時の技術水準から考えて、創造し得るものは、だいたい出そろっている環境にあるのに気づきませんか。

衣服や髪形には、若干の流行と変動はあります。男の場合は月代《さかやき》を毎日のように剃りあげるだけの余裕がありました。月代が伸びるのを「五分《ごぶ》月代」といい、極貧の象徴として嫌う風潮があったのを、歌舞伎の台本などで見かけます。

また、既述の通り、衣服は生産力が低いかわりに古着屋などのリサイクル市場が充実しており、着るものには困らない。

食についても同様。江戸市中の場合は農産物がありませんが、近在の農家から人肥を集めにきて、その対価として農産物を置いていったとのことで、無農薬有機野菜（あたりまえだ）が手にはいる。

武士の場合、旗本・御家人である限り、どんな閑職だろうが家名があれば扶持が貰えた。実際には扶持だけでは生活できないので、傘張や鈴虫飼いなどの内職などで家計をおぎなったそうですが。

町人の場合、後述するように、土木・建築の仕事が恒常的にあったので、身体さえ健康であれば、職に困ることだけはなかった。

われわれが「物あまり」と感じ、結婚式の引き出物などでカタログを送られても、「酒と食い物以外は、あえて欲しいものがないなあ」と思うようになったのは、高度成長期を過ぎて以降のこと。戦後の食料難を経験しているはずの実母でさえ、数年ほど前から「別に何も欲しくないなあ」と言うようになってきました。

いかにも江戸時代には、携帯電話もメールもパソコンもありませんが、これらは、なければないで生きてゆけるものですよね。

江戸時代での変化と限界と

最も変化したのは、江戸時代の江戸の地勢です。

東京湾は遠浅の海岸線を持ち、現在でも全国屈指の漁場です。

徳川家康が駿府から江戸への国替えを豊臣秀吉から命ぜられたとき、江戸近辺は鬱蒼《うっそう》とした湿地帯だったそうです。『近世風俗志』によれば、江戸では井戸を掘っても塩水が出てくるので、地中に清流河川から樋を通して井筒から汲み出す「水道井戸」を設置しないと、水にも困る状態だった。

そのかわり、埋め立てが進み、また、急速に巨大都市へと変貌を続けます。三代将軍の家光の時代には、現在の江戸城の外堀と、銀座ぐらいまでの地域だったものが、元禄時代の古地図を点検すると、北は今の東京大学のあたり、西は四谷ぐらいまで広がっています。

これが「江戸百万」と呼ばれる文化年間になると、下町といわれる、両国橋の向こう側、深川だとか向島だとかが栄えるようになります。

こんなに土木工事が頻繁にあるのなら、土木・建築関連業種は、困ることはありませんね。

時代によってかなり地勢に変化がみられるので、江戸を舞台にする場合、その時代に近い地図を押さえておくのは必須。なぜかというと、他の地方と違い、江戸の古地図はずいぶん出まわっていて、読者も承知している可能性があるから。

中央公論美術出版から『古板江戸図集成』が五巻本で刊行されていますが、これは本体価格で十二万五千円する。

ただ、江戸に関しては、幾つもの江戸図が分割・復刻されて売られています。「古地図史料出版株式会社」（電話　〇四二―四七六―一五二五）という、古地図専門の出版社が都内にあり、ここでは各種の古地図を時代ごとに分けて売っています。一葉二千八百円だったかな。インターネットや通常の書店では常設では扱っていません。

電話をかけて必要なぶんだけ取り寄せてもいいのですが、この会社、都内のマンモス書店でちょいちょい「古地図フェア」をやっているので、そこで箱買いするのも手かもしれません。

江戸時代の警察事情は、信じがたいことに、創業期の人口三十万だった頃から、百万を超えた幕末期に到るまでほとんど変化はありませんでした。

町奉行（江戸の場合だけは「町奉行」と呼んだ）は、江戸府内の行政、司法、立法、警察を総合して行っていました。江戸に移転当時からあったのですが、三代家光の時代の寛永八年（一六三一）に役宅を設けることになりました。訴訟は民事・刑事の両方。「中町奉行」が置かれた時期もありましたが、基本的には南町・北町のふたつ。

町奉行は三千石相当の旗本が就任しましたが、これには異動があります。それ以下の与力・同心などは世襲またはそれに準じた待遇で異動は珍しい。現代の大臣と官僚の関係を想像していただけるとそれに近いかな。

司法・行政の面では若干の増員はあります。ただし、警察を担当する「定町廻り同心」は南北各六名で増員なし。寺社・武家への捜索はできなかったので、寺社は副収入として博打場を開帳し、その場所代を徴収しました。博打場の場所代を「テラ銭」というのはここから。江戸府外での捜査はできず、この場合は勘定奉行がやった。このほかに、防火・消火事情も変化しているのですが、紙数が尽きました。拙著『三人吉三　明日も同じたぁつまるめぇ』（双葉社）に詳述してあるので、興味のあるかたはそちらへ。

3　戦国時代　激しい技術革新があったのを忘れない

戦国時代のいくさとモラル

一般的に「戦国時代」というと、応仁の乱（応仁元年～文明九年＝一四六七～一四七七）を発端として、豊臣家の滅亡した大坂夏の陣（元和元年＝一六一五）までを指しますが、これは必ずしも正確ではありません。

というのも、関ヶ原の合戦（慶長五年＝一六〇〇）での徳川家康の勝利によって事実上、統一独裁政権として必要な立法権、行政権、国主・藩主・大名の人事権などを徳川家康が掌握したことが根拠の第一。

第二に、次の内戦（ではないとぼくは解釈してますが、仮に大坂の陣を戦争だとしても）である大坂冬の陣（慶長十九年＝一六一四）まで、十四年間、内戦のない状態がつづいたため。慶長十四年（一六〇九）に琉球が薩摩によって征服されましたが、これは全国に影響を及ぼす種類の戦いではありませんし。

「十四年しか平和が続いていないじゃないか」と反論がありそうですが、実のところ、人間は好戦的な生き物です。一生の間に一度も戦争を体験しない例のほうが珍しい。湾岸戦争が一九九〇年に勃発したあと、アメリカ・イラク戦争が始まったのが二〇〇三年。その間、同時多発テロが発生しましたが、テロは犯罪であって戦争ではありませんしね。

戦国時代の戦争と、現代のわれわれが考える戦争とは、かなりニュアンスが異なるということに注意してください。

結核はもちろん、梅毒も天然痘もハンセン病も治療方法はなく、脳内出血も脳梗塞も「卒中」のひとことで片づけられ、虫垂炎でもあっけなく死んだ。それでなくとも、中小の領主が隣接する場合、互いの領地のとりあいでいくさが発生し、道端に無縁仏がすっころがっていたりする。死は隣り合わせだった。だから、男子として生まれてゴクツブシとあざけられるぐらいなら、どこかに仕官して、死んでもともとでいくさに出かけたほうがいい、となる。

戦国時代の君臣の関係は、江戸時代の君臣の関係とまったく異なります。

江戸時代の君臣関係は、サラリーマンと会社との関係にちかいと思ってください。会社が倒産しない限り、基本的には着実に給料は支払われ続けます。いつリストラに遭遇するかわからない恐怖はあるでしょうが、それゆえに一層、会社への忠誠を示すことで、固定給が確保されます。

戦国時代の君臣関係は、自営業者で組織する後援会と議員との関係に近いと思ってください。議員や戦国時代の領主は、後援会や土着の豪族たちの意見の調整や利益誘導、人格的魅力などによって、まとめあげられるだけの技量がなければ、たちまち落選するか領主の座を追放されるかすることになります。より人間的魅力もしくは強力な権益保護力（戦国武将の場合は武力指揮力）があれば、県会議員や郡のまとめ役から県知事や国主へとステージをあげられます。

戦国時代の主君は、家臣団の合意で決められた。現代の代議士が引退する際、後援会全員の合意をいちばん得られやすい後継者が代議士の子息であるのと同じ理由で、戦国武将の後継者はその子息から選ばれました。これは当然ながら長子相続ではなく実力のある者が相続しました。

尾張在国時代の織田信長のように（信長は三男）奇行が目立ち、主君としての資質に疑問を家臣団に抱かれると、離反され、抵抗されました。主君が権力を不法に行使し、本来の国力以上に好戦的で家臣団への負担が重く、なおかつ主君の子息が優秀であれば、武田信虎（信玄の父）のように追放されました。主君の子息に適切な人材がいない場合は、北条早雲のように抜きんでた家臣がかわりに主君にかつぎあげられました。戦国時代には選挙区はないので、隣国の主君が優秀であれば、自分の主君を捨てて隣国の主君を自国に導きました。

何でもありと思われがちな戦国武将にも、最低限のルールがあります。仏教でいう「五逆」で、「父（または主君）を殺すこと」「母を殺すこと」「高僧を殺すこと」「仏体を傷つけること」「仏教教団の和を乱すこと」がそれ。

主君は追放しても殺さない。離反しても殺さない。主君殺しはいかな戦国時代といえども大罪で、陶晴賢《すえはるかた》、松永久秀、といった具合に、指折り数えられる程度しかいない。父殺しはもっと少なく、斎藤義龍（道三の息子）ぐらいですか。残虐の限りを尽くした織田信長でさえ逆賊の経験はありません（足利義昭とは君臣の関係を結ばなかった）。五逆ぜんぶを揃えたのは、明智光秀ぐらいしかいないかなあ。

すさまじい転換期と戦国期で陥りやすい誤り

とても悲しい現実ですが、戦争には多角的に技術力を伸長させるという面があります。応仁の乱以降、全国各地で群雄が小競り合いを続けてはいましたが、基本的には旧来のモラルやルールの延長線上でのものではありました。

それまで個人での騎射戦などが中心だったものが、慢性的な戦闘状態によって、農民たちが駆り出され、集団戦へと推移してゆきましたが。あと、甲冑に軽量化がはかられ、「当世具足」が普及した、といったところですか。

ドラスティックな激変は、永禄十一年（一五六八）の織田信長上洛以後のこと。

それまで宗教関係は非課税が原則だったのですが、信長は上洛した途端、石山本願寺に矢銭《やせん》（軍事目的直接税）をかけた。武将が在家のまま仏門に帰依する例は枚挙にいとまがないのですが、仏門を現世の政治権力の支配下に置くのに成功したのは、これが端緒といっていいでしょう。

これは後年の徳川幕府にも「寺社奉行」として引き継がれ、僧侶の女犯を取り締まるなど、本来ならば仏門の本山がやるべき種類の業務にも介入してゆきます。

また、室町末期には貨幣も流通しはじめたのですが、銭の質にかなりの差があった。グレシャムの法則（「悪貨は良貨を駆逐する」）が示す通り、流通面で問題が生じるので、永禄十二年三月、信長は「撰銭令《えりぜにれい》」を発令して、貨幣価値の整理をはかりました。最悪の価値の銭を「鐚《びた》」といい、「びた一文」の語源がこれ。

それまで足軽などの下卒は領内の農民を動員することが普通だったのですが、兵と農の分離をはかったのも信長から。この利点は、農繁期・農閑期にかかわらずいくさができることです。これは後年、豊臣秀吉の「刀狩」で明確にされ、徳川家康によって固定されました。

「検地」が行われるまでは武将の所領は「石《こく》」ではなく「貫文」で行われていたので注意が必要です。太閤検地によって武将たちの所領の規模が明確化されたのも重要ではあるのですが、実のところ、太閤検地によって度量衡の全国統一がなされたことのほうが、庶民にとって重要ですね。一間《いっけん》の長さを決めたうえで、一間四方を一歩《いちぶ》、三十歩を一畝《いっせ》、十畝を一反《いったん》としました。

執筆する上で便利になるのは、兵員の動員能力をここから割り出せること。桑田忠親の説によれば「一万石あたり二百五十人」がひとつの目安。

検地と刀狩は本来別次元のものなのですが、同じ文書で発令されるのが普通だったために「検地と刀狩」ってな具合にまとめて呼ばれるようになりました。

意外に知られていないのは、戦国時代には剣術や槍術などの武術の地位の評価が低かったこと。彼らは「武芸者」あるいは「兵法者」と呼ばれ、他の芸能一般と同様の扱いをうけていました。

戦国時代は武官と文官が未分離の状態だったのが、そのいちばんの理由です。戦国武将は戦闘指揮能力と行政能力の両方を求められました。丹羽長秀や明智光秀、羽柴秀吉らが両立している典型ですね。要するに、忙しすぎて武芸だけに構っていられない、ってわけです。文官と武官の分離は信長どころか秀吉でさえも難しく、事実上の文官である石田三成が厚遇されたことに対して、純然たる武官の加藤清正や福島正則らが猛反発したのは周知の通り。

江戸期に入って武道が発展したのは、ひとえに江戸幕府の創業者である徳川家康が異常なまでの武道マニアだったことによります。家康は剣術や馬術、弓術、鉄砲術まで修めていましたが、息子の秀忠が剣術に熱心なのをみて「武将にとって、武芸は急場をしのいで逃げきれる程度でいいのだ」と自分を棚にあげて説教たれているのが『徳川実紀』に載っています。

ものすごく意外なことに、戦国時代だというのに、医学はほとんど発達しませんでした。医薬品は大量に使用されたと推測されますが、生薬を処方するか、鍼灸《しんきゅう》が存在する程度です。その鍼灸にしたところで、現在普及している管鍼法《かんしんほう》が開発されるのは、江戸時代初期の杉山和一によってです。

必要に迫られてもよさそうなものなのですが、将兵は消耗品、という考えかたなのか、あるいは生死は天命によるもの、と割り切っていたのかはわかりません。ただ、戦国時代の足軽に生まれなくてよかったなあ、と思うところしきり。

これを観ろ！　合戦シーンの必見資料

戦争を経験していない世代にとって、戦国の合戦シーンの描写は最大の泣きどころです。クライマックスだったりするわけなんですが。

基本的な交戦哲学は『孫子』の時代から現代にいたるまで大きな変化はありません。『孫子』は岩波文庫版で原典が簡単に手に入るので、必ず買って目を通しておくと、ビジネス物を書くときでも役立つのでおすすめ。

もっとも、自動火器が標準装備されている現代戦と、戦国時代の合戦は、まったく様相が異なります。現代戦において密集隊形で整然と突撃すれば、機関銃と自動小銃の一斉射によって一瞬で壊滅してしまいます。

先に「武道は軽くみられた」という、別の理由に、戦国時代の合戦は（鉄砲や弓などの強力な補助があるにせよ）、長柄槍による足軽たちの肉弾戦が主力で基本だったことがあげられます。

集団対集団の肉弾戦では、個々の戦闘技術よりも、整然とした陣形、号令通りに迅速に動く訓練された集団のほうが強力です。全共闘の時代を経験、あるいはテレビなどで観た人ならば、学生のデモ隊が機動隊に制圧される様子を記憶しているでしょう。

戦国物は製作費がかかるせいか、合戦シーンが映像化される機会は、ＮＨＫの大河ドラマを除いては、あまりありませんね。

また、予算が潤沢にあるはずの黒澤明でも、『影武者』『乱』などでは、映像こそ素晴らしい（もう一度繰り返そう、映像は本当にすばらしい）ものの、考証の面で首を傾げる場面が少なからずあります。黒澤監督は映像とストーリーとキャラクターを最優先させ、考証の優先順位は低めに設定して制作する傾向が顕著ですしね。

今のところ、戦国時代の合戦シーンとして、動画の映像資料として最も正確なものは、実はアニメで、原恵一監督『クレヨンしんちゃん　嵐を呼ぶアッパレ！　戦国大合戦』。天正二年（一五七四）の関東が舞台。わずか九十八分の作品ながら、平地での遭遇戦では、長篠の合戦の前年で、鉄砲の数こそ少なく、弓、礫《つぶて》（投石）と補完しあいながら長柄槍を使った整然とした野戦シーンからはじまり、攻城戦のシーンでは、実写では費用がかかりすぎて絶対にみられない「車井楼《くるませいろう》」が登場し、「炮烙火矢《ほうろくびや》（手榴弾）」がみられます。

また、夜陰に乗じて小勢で敵の本陣を突く奇襲戦も盛り込まれている。細かいところにも目が行き届いた緻密な作品で、「香車」の駒形の指物（甲冑の背中に指して自己主張するもの）なんぞ、史料では見たことはあるものの、動いてるのを見たのはこの作品が初めて。

本来は子供向けの人気アニメ『クレヨンしんちゃん』の映画版で、しんちゃんが戦国時代にタイムスリップした、というギャグアニメですが、ギャグのシーンと戦国のシーンの切り分けがかっちりしているので、混乱することはないと思います。

二〇〇二年に公開され、今でも人気を博しているので、レンタルビデオ店で容易に借りることができると思いますが、三千八百円出してＤＶＤを購入し、メモ用紙片手に繰り返し目を通すことをお勧めします。

資料としての難点は――子供の前では、あまり見ないほうがいいことかも。ぼくも息子に横取りされて、取り返すのに難儀しました。

4　名前とセリフ　本人たちもわかるめぇ

さあ、ここからがややこしいところだぜ。

先に申し上げておきます。基本的に、歴史は男性側から書かれるのが通例で、女性の実名はほとんどが伝えられていないとおもってください。

紫式部は藤原為時の娘なのですが、なぜ紫式部と呼ぶのかわかっていません。香子という説もあるのですが、疑わしいそうです。父親が式部丞《しきぶのじょう》だったので、女房（妻のことではなく、高位の女官のこと）としての名は「藤式部《とうしきぶ》」であり、『源氏物語』が知られるようになってから、その「紫の上」からとられたのであろうとのことです。いずれにせよ、死後の名。

ついでながら「源氏名」の由来も『源氏物語』で、源氏物語五十四帖の題名にちなんで宮中の女官に賜ったのがそもそもの始まりで、そこから遊女などが使うようになり、バーなどで働く女性が使う仮名を指すようになりました。今も昔も、女性の本名を聞き出すのは難しいですな。携帯電話は簡単に教えてくれても固定電話は教えてくれないのと似たようなものか——って、違う違う。

細川忠興の妻、ガラシア（明智光秀の娘）の実名が「玉」、織田信長の妹で、浅井長政と柴田勝家に嫁いだ女性が「市」とわかっているのは例外中の例外。豊臣秀吉の正室、北政所でさえ、「ねね」と「おね」の二つの説があってはっきりしないぐらいなんですから。

とりあえず『寛政重修諸家譜』の索引にしたがって解説してゆきましょうね。

姓

本姓と賜姓があります。本姓は説明の必要はありませんね。賜姓のほうは、本来は皇族が天皇から姓を賜って家臣となるもので、桓武平氏、清和源氏がその代表です。

ここから下って、功績ある家臣に勅令で姓を賜ったり、自分の姓を家臣にくだしたりすることも発生するようになりました。

天正三年（一五七五）、織田信長は禁中から官位昇進をすすめられましたがこれを固辞し、明智光秀に「惟任《これとう》」の姓を、丹羽長秀に「惟住《これずみ》」の姓を賜る旨、申し出ました。

木下藤吉郎が「羽柴」に改姓したのは天正元年に足利義昭との最後の決戦である槙島《まきしま》の戦いの際、信長から「木下ではいかにも軽い姓なので、らしい姓にせよ」と命じられたので、「では織田の旧臣である丹羽様と柴田様から一字ずつ頂戴して」といった具合だったそうですが、諸説を照合してみると、どうもこれは本当のようです。

賜姓の効用を目一杯つかったのは徳川家康。もともとは三河の豪族・松平だったのですが、三河統一後の永禄九年(一五六六)、勅許により、徳川の姓と従五位下・三河守の官位の勅許を受けました。「徳川」の姓の由来と系図は捏造された疑いが濃厚ですが、勅許を受けた以上、その権威は格別なものがあったと推察できます。

以後、「徳川」の姓は、徳川宗家と御三家・御三卿の嫡流だけに許されたものとなると同時に、血縁・姻戚のまったくない相手にも「松平」を賜姓しました。

余談ながら、天皇には姓がありません。他者と区別する必要がないから、というのがその理由。正親町《おおぎまち》天皇や後醍醐天皇など、死後に送られるのを諡号《しごう》といいます。明治に入ってから一世一元となったので、元号をそのまま諡号に使われるため、間違えやすいのですが、現に即位なされている天皇の場合は「今上《きんじょう》天皇」または「当今《とうぎん》」といいます。

当今の元号は令和ですが、「令和天皇」と申し上げるのは、きわめて失礼にあたるので、ご注意のほどを。

諱《いみな》

本名または実名のことです。「信長」「秀吉」「長秀」などのことです。『広辞苑』では第六版でも「死後にいう生前の実名」のままになっていますが(こんな具合に『広辞苑』の百科事項は間違いが結構あるので要注意)、そんなこたぁありません。文書・書状のたぐいには、姓と官名のほかに、諱もばんばん出てきます。

ほとんどが漢字二字。武家の場合、生まれるとまず幼名を授けられ、元服の際に諱を与えられます。父親か主君から一字与えられるのが普通です。官名や通称はころころかわってややこしいのですが、諱が途中で変わるのはすくない(ないわけではない)ので、人物の特定にはこれがいちばん確実かな。

称呼《しょうこ》

通称です。幼名(吉法師《きっぽうし》とか梵天丸《ぼんてんまる》とか)、成人になってからの通称(十兵衛とか藤吉郎とか)、といったもので、諱及び官職、国名による呼称を除いた、すべてのものです。

官職

戦国時代では通称の一種で、もともとは平安時代の役職に由来するものが多い。

たとえば「右近」は「右近衛府」の略で、偉い順に「右近大夫《うこんのたいふ》」「右近将監《うこんしょうげん》」「右近介《うこんのすけ》」「右近之助」になります。

戦国時代は自称や勅許などが混在しているのと、作品の主人公になるような人物はがんがん出世してころころとかわるので要注意。

江戸時代に整理され、好き勝手に名乗っていいものと、勝手に名乗れないものもあるので要注意。

「中納言」がそのひとつ。これは唐の黄門侍郎になぞらえて「黄門」と呼ばれることもあります。水戸藩主の徳川光圀は中納言まで昇進したので「水戸黄門」といわれたわけです。

国名

これも本来は律令の四等官制《しとうかんせい》に由来するもので、国名につけるものは「守《かみ》」「介《すけ》」の順に偉い。ただし、戦国時代は豊臣秀吉が国内を統一するまでは「徳川三河守」を除いてほとんどすべて自称。織田信長の最初の通称は「上総介《かずさのすけ》」でしたが、もちろんこれも自称。上洛したときにいきなり「弾正忠《だんじょうのちゅう》」になりましたが、これも自称。

上洛して以降、さすがにまずいと思ったのか、信長は織田の家臣団には勝手に官名や国名を名乗らせなかったようですが。

これは江戸時代に入って職制が確立して以降、勝手に名乗れなくなったのですが、注意しなくても見ればわかるので、そう間違えはしないでしょう。

この他に「号」「院号」「法名」などがあります。ややこしくて何がなんだかわからなくても大丈夫。ぼくも『国史大辞典』をうんこらせと引きながら書いているんで。実際のところ、戦国時代の書簡などに目を通すと、宛先に実名が書かれたりするんで、当時の人たちもよくわかってなかった、ってのが正直なところでしょう。

はなし言葉はわかっていない　セリフに注意

もう、小見出しの通りです。テレビや映画の時代劇の「うんたらかんたらじゃ」「左様でござる」なんて具合のセリフ回しは歌舞伎からの転用。では、はなし言葉をそのまま使っているかというとあまり確実なことは言えません。

江戸も後期になり、印刷技術が発達してくると、「読本《よみほん》」とか「草双紙」といった娯楽小説が庶民の間にも普及してきます。こうした娯楽小説は、比較的口語に近いものを採録して構成する事情は、現代の娯楽小説事情を鑑《かんが》みれば推測できるんで、そこからだいたいのところを見当つける、って手はあります。

前田勇編『江戸語の辞典』は、そうした江戸言葉に特化した古語辞典で、参考にはなるかも。講談社学術文庫版で本体価格三千五百円。

参勤交代が制度として定着して以降、武士たちは国表《くにおもて》（領国）と江戸とを往来したので、当然、領国の現地採用の武士と、江戸で採用された武士との間でコミュニケーションをとるための共通言語が必要になる。

あと、江戸に滞在している藩士は、他の藩の武士たちとの情報交換も重要な役割だったので、国の言葉とは別に共通言語があったはずなんですが、これがどういう言葉を使っていたのか、正確なところはあまりわかりません。

よく言われるように、公許の娼婦街である新吉原では、「ありんす言葉」という、独特のはなし言葉がありました。これは全国各地で身売りされてきた娼婦たちが、出身地の訛りを隠すのが目的だったとのこと。

そこから類推すると、異国の武士間のコミュニケーションは、相当な困難を強いられたとおもわれるのですが、今のところ、言葉の訛り・方言が原因でトラブった、といった史料は目にしていないので、あったとしても例は僅少なのか、日常的にありすぎてあえて書く必要がなかったのか、の、どちらかでしょう。

厄介なのは戦国時代。

一国の領内にとどまっている間は、互いの意思の疎通に問題はありませんし、武将の多くは半農半兵で、武将と農民・足軽たちとの意思の疎通もできたでしょう。しかし、版図《はんと》の拡大によって、言葉の違いは出てきます。

最晩年期の織田信長の勢力範囲は、尾張・美濃・伊勢・信濃・甲斐・加賀・若狭・丹波・備前・摂津・紀伊・大和・伊賀といった具合に広いのですが、信長の基本的な戦略は、敵対する勢力に対し、比較的関係の良好な近隣と和睦を確認した上でその近辺の将兵を引き上げ、敵対勢力に対して大量の将兵の一極集中・短期決戦が主たるものです。

その関係から、信長の部隊はいわば多国籍軍の様相を呈しており、いったい何語で話したのか――というか、共通言語がないと、部隊の統率に支障をきたしますわな。

これは、岐阜に住んでいる者の経験から断言しますが、尾張と美濃、伊勢とはあまり言葉に大差はないものの、関ヶ原を越えて畿内にはいると、言葉の激変に面食らいます。テレビやラジオはもちろん、参勤交代といったシステムさえなかった時代、出身の異なる武将たちがどうやって意思の疎通をはかったのか、よくわかっていません。

ただ、どの武将もおおむね漢籍の素養はあった模様なので、標準語のかわりに漢文の読み下し文を日常会話に使ってたんじゃなかろうか、と、推測してはいますが。

こうした、わからない事象に遭遇した場合に、どう対処すべきかは書き手ごとにことなるので、正解はありません。

地の文で背景や設定事項を説明するために現代用語を駆使するのはよくあることなので、特段注意する必要はありませんし、比較的異論はでません。

厄介なのはセリフ本体のほうです。

歌舞伎調の言い回しをするか、現代小説的なセリフ回しにするかは、特に決めごとはありません。すこし迷うかな。

ぼくは「わかりやすければ良」という主義でやっています。場と会話者の上下関係などから、漢文調・歌舞伎調・現代語日常会話調・地元訛りなどを使いわけています。

しくじりやすいのは「会話のなかに、その時代に絶対存在しなかった言葉をいれる」ことです。語源が不明なものは構わないのですが、明確になっているものはそこで足をすくわれます。

たとえば「サボる」の語源は「サボタージュ」というフランス語で、もとは二十世紀の労働運動用語。すっかり日本語化していますね。「二枚目」は歌舞伎用語を語源としているので、戦国物のセリフに埋めるのは難しい。「襦袢」はポルトガル語の「ジバン」由来の言葉なんで、戦国時代以前には存在していませんでした。あと、「一石二鳥」とかね。これは英語の「kill two birds with one stone」って諺が語源。

もちろん、確信犯的にやるのは構いません。とても大切なことですが、何千といる観客の、たった一人の目だけを気にして、残るすべての観客を楽しませるのを忘れてはいけません。つい、忘れちゃいますけどね。正確な小説と面白い小説は別物だと忘れずに。

5 衣服　普段着には和服をどうぞ

衣服と髪型は、男女にかかわらず最も変遷の激しいものです。女性のメイクもそうですね。一世代の間に何サイクルかの周期があります。

ぼくがティーンエイジャーの頃には、ジーンズも裾の広がったベルボトムが流行ったものでしたが、最近、リバイバルでみかけるようになりました。

やはり、女性のメイクも眉を細くしてマスカラばんばんだったのが、いつの間にか太くなってまた細くなりつつあります。

もっとも、男子高校生がズボンを臀部がはんぶん見えるほどに下げるようなものは、われわれの頃にはありませんでしたけどね。

すこし横道にそれますが、男子の性欲についても近年の変遷は信じがたいものがある。われわれの世代の十代は、頭蓋骨のなかに精液が充満して、頭を小突けば白い鼻血がでそうなほどに妄想の塊だったんですけど、どうも最近は違うらしい。いつだったか、「週刊プレイボーイ」に「いい加減にしろ！　オヤジ雑誌のエロ路線」って特集が組まれていて、つい苦笑しちゃいましたな。

ただ、こうしたサイクルもほぼ大東亜戦争で日本が敗戦して以降のファッションを起点としたもののようです。戦後の服飾史やメイク史に目を通してみても、今後お歯黒やもんぺが流行する気配は見られず、男性が月代を剃って茶筅髷《ちゃせんまげ》を結いそうには思えませんしね。ときどき七色に染めたモヒカンを見かけますけど、目立ちたいのならちょんまげのほうがよほど効果があると思うんですが。

具体的な変遷については、『近世風俗志』『国史大辞典』『古事類苑』などに目を通してください。『近世風俗志』が簡略でいちばんわかりやすいかな。江戸後期になれば図版類も充実してくるので、そちらに目を通すのもいいでしょう。葛飾北斎は『北斎漫画』で多数の市井の人々の様子を活写しましたが、これは東京美術から各巻本体価格二千円・全三巻で入手できます。

戦国時代以前の衣服は、武将や貴人の肖像が残っているので、そこから類推してくださ い。木綿は、はためきやすいので、戦国時代以前は本陣などの幔幕《まんまく》、背中の指物、旗印、幟などが主たる用途だったようです。木綿が衣服に使われるのは下帯(褌)が中心。『徳川実紀』によれば、徳川家康が「家臣たちの下帯は浅葱色に染めろ。そのほうが汚れが目立たない」と通達を流しているのが記録されていることから、普通は染められていなかったとみるべきでしょう。

褌は六尺が通例で、丁字形の「越中ふんどし」は江戸期に入ってからです。戦国期、いくさは猛烈なストレスを伴うために肉が落ち、その結果、下帯が脱落する事例が頻発した。そこで細川忠興が、下帯の一端を輪にして首からさげ、もう一端で局部を隠して後ろから腰で結ぶ「もっこふんどし」を考案した。細川忠興の通称が「越中守」だったために、いつしか「越中ふんどし」と呼ばれるようになりました。

戦国時代以前の衣服の主力は麻。絹は今も昔も高級品です。麻は最も身近な衣料の原材料で、そこらに自生しているものを刈り取り、叩いて繊維を柔らかくし、紡《つむ》いで自宅で機《はた》織《お》りするのも珍しくありませんでした。前掲の徳川家康の通達で、「妻女を娶《めと》る際には、生計の助けになるので、機織りなどの技能を持つ者にするように」と、給料払ってるお前が言うなよってなことが書いてあります。

麻は防寒の面で難があるのと、肌触りが堅いのですが、張りがあるのと、夏は涼しいので、江戸期においても肩衣などの衣料として重用されています。

素材としての麻が高級品の部類に属するようになったのは、昭和二十三年（一九四八）、「大麻取締法」が施行され、栽培が免許制になって以降のことです。戦後の困窮期に、タバコがわりに麻の葉を吸っているのを占領軍がみて仰天し、あわてて施行されたそうな。これでわかる通り、煙草は普及しても、麻の葉でラリパッパとなる習慣はなかったようです。

普段着には和服を、散歩はデューク歩きで

日本の服飾の場合、「平服格上げの法則」があります。下層階級の装束が、だんだん格

があがってゆくという法則。

もともと「直垂《ひたたれ》」は庶民の服装だったのですが、これが鎌倉期には武家の正装となり、江戸時代には侍従（正四位・従四位権少将）以上の高位の礼装となりました。これに家紋を大きく描いたのがやや格下の「大紋」で、浅野内匠頭が松の廊下で吉良上野介に切りかかったときの服装がこれ。紋付き袴は本来武士の平服だったのですが、幕末期には将軍の礼装になりましたな。こんな具合に、だんだん格上げされてます。

普段、われわれが「和服」と呼んでいるものは、本来は「小袖」と呼ばれるもので、決して上品な衣服ではありませんでした。下着と上着の中間に属するものです。足軽あたりだと袴を穿くのが許されなかったせいか、裾を尻はしょりにして戦場に出ました。過労で肉が落ちて下帯が脱落したのはそのため。

戦国時代の庶民からはじまって、昭和二十年代ぐらいまでのおよそ四百年、いわば着流しは日常着だったわけですな。

柄などに流行の消長がありこそすれ、基本的な裁断構造はあまり変化がないのは、それだけの利点があるからです。

まず第一は、裁断時の生地の無駄の少なさがあります。これはどんな本でも構いませんから、和服の入門書に目を通してみるといいでしょう。

第二には、寸法の融通性があります。ぼくはこの三年ほどの間に体重は七十キロから七十七キロまで横に成長し、ウエストも八十二センチから九十センチになりました。ズボンは五〜六本タンスの肥やしにしていますけど、現状ではボタンがとぶので迂闊にくしゃみができず、ずり下がるのでサスペンダーで吊ってます。ですが、普段着の和服の着流しはそのまま、まったくサイズを直さずに着られます。

この寸法の融通性は、衣服が高かった時代には有利に働きました。すなわち、古着でのリサイクルが、かなり有効に機能するといったことがあります。

しかし、いちばんの理由は、なんといっても「楽だから」でしょう。ちょっと肩からひっかけて、ちゃちゃっと帯を締めれば、胸元を締めつけることはない。角帯で、デバラを下から支えてきゅっと締めると、帯はそのまま腰痛防止帯にもなりますしね。

事情が許す限り、自宅で過ごしたり犬の散歩をする程度の外出なら、和服でいることをお勧めします。なぜなら、身体行動哲学が、洋服と決定的に異なるものが多いから。

「和服は動きにくい」という話をよく耳にします。しかしよく考えてください。本当に動きにくいものなら、四百年も基本的な設計をかえずに残っているわけがない。これは、現代の我々が、根本的にことなった動きをしているところにあります。

よく言われるものに「ナンバ歩き」があります。右手と右足、左手と左足を同時に出す歩き方です。これを最初に聞いた人はたいてい驚くんですが、実は、右手と左足、左手と右足をだす、現代のわれわれの歩きかたは、幕末から明治にかけて、洋式兵術が導入されてからのもの。「嘘つけぇ」と言われる前に、ちょっと和服に着替えて、ナンバ歩きをしてみるといいでしょう。ナンバ歩きだと、和服を着ていても、ほとんど着崩れしないのに気付くはずです。

申し訳ありませんが、履物に関しては、下駄はあまりお勧めしません。これは現代の道路事情の問題で、下駄に罪はありません。現代では舗装されていない場所を探すのが難しいと思いますが、下駄はクッションの役割をしてくれない（舗装されていない道は、それ自体が衝撃をやわらげていたんですね）ので、すぐに膝にきます。

靴で歩くとき、膝をあげて踵《かかと》から下ろすのが普通だと思いますが、雪駄《せった》でそれをやると一瞬で脱げてしまいます。和服で動くとき、基本は爪先にあります。ちょっと爪先で雪駄をひっかけ、着地は爪先から。

猫背になると、とたんに胸元が広がってだらしなくなるので、背筋を伸ばし、視線をすこし遠くに向けてください。それから、歩くときは、股関節を中心にして爪先で円を描くようにし、膝をまげないように。膝と膝とがすりあうようにして、両足が一直線上に乗るように、架空の平均台の上を歩く感じで歩いてください。ここで注意するのは、爪先が内側を向かないように。一歩ふみだすと、裾が軽くはねあがっていい気分になれるはず。

さあ、そこまで練習してみたら、全身の映る姿見の前で、ご自身の歩く姿を確認してください。……しましたか? そしたら、黒澤明『用心棒』の仲代達矢でもいいし、『眠狂四郎』の市川雷蔵でもいい、主人公が着流しで歩き方のかっこいい時代劇映画を借りてきて、目を通してみてください。鏡のなかにいたあなたと、中身と顔はともかく、同じたたずまいの人間を、そこに発見するはずです。

ちなみにこの歩きかた、一時期はやったデューク更家《さらいえ》氏の「ウォーキングダイエット」に酷似しています……というより、先にデューク更家氏のウォーキングを知って、和服とはまったく関係ない状態でためしてみたら、偶然合致したので驚いたんですけどね。

これも事情が許せば、なんですが、古武道を多少なりとも身につけておくのをお勧めします。取材を目的とするのなら、初段程度の経験で十分。ただし、教わったことだけですませず、自分で武道関係の書物にあたったりするのは重要。

居合道は無双直伝英信流、林崎流など、諸派はありますが、真面目にやればおおむね一年半で初段が認可されます。かつては入門してから半年ぐらいまでは木刀で抜刀と納刀の練習をさせられたそうですが、今はステンレス製の廉価な居合刀があるので、はじめから刀を扱わせてくれるはずです。

合気道は正式には植芝盛平を源流とした合気会系と、分派した養神館の二つのことですが、その源流となった大東流合気武道などを含めたものを総称するケースが多いかな。約束組手が基本で、初段から袴をつけさせてくれます。

武道でも、この二つは、パワーやスピードはあまり関係なく、四十歳からはじめても遅くないうえ、全国どこでも道場があるという利点があります。刀さばきや袴を穿いたうえでの所作などを、身につけておいて損はありません。

目が慣れれば、昔の人が屋外と屋内での袴の裾の高さをかえて穿いているのに気付くでしょう。これは幕末期の写真などで確認できると思います。

和服を普段着に、というと、すこし腰がひけますが、呉服屋に頼んでソフトデニム地で作ると三万円ぐらいでできます。ぼくが書斎で原稿書くときの仕事着がこれ。インディゴとライトブラウンを仕立てて、交互に着ています。洗濯機でざぶざぶ洗えるのと、汚れが気にならない利点があります。

真夏はさすがにこれだと暑く、Tシャツとトランクスですが、それ以外は三シーズン着ていられる。真冬は下着にタイツとフリースを着ています。

身長が百七十センチ未満ならすこし布地が余るので、それで袖無し羽織りを仕立ててもらえば、不意の来客にも対応できますしね。

「いきなり呉服屋に足を運ぶのは気が重い」ということであれば、「京屋呉服店」（電話〇五八四―七八―四〇一四）の通販が便利。電話で身長と体重、色（藍がいちばん無難でしょう）を指定すれば、料金代引きで通販してくれます。帯はこのときに一緒に注文してもいい。デニムの和服を作り慣れている店です。和服本体が三万円。綿角帯は三千円。

角帯の締め方は「貝の口」が一般的ですが、椅子に座るとほどけてしまうので、ぼくは「片ばさみ」で締めています。他にも「一文字」や「神田結び」などがあります。

NHKの時代劇は、衣服と小道具については考証が厳格で、身分によっての帯の締め方の違いなんてのも使い分けています。

そうしたことがわかると、自然と作品にも反映されるはずです。

6　暦法　いざとなったら花札

えー、時法とならんで、いちばんややこしいのがこれ。とにかく複雑なので、先に結論を列記しておきましょう。

①旧暦（太陰太陽暦）での季節は花札を参考にする。
②旧暦の一カ月は「大の月」は三十日。「小の月」は二十九日。
③十九年に七度、季節の調整のために「閏月」が設けられる。
④旧暦と季節のずれを防ぐため、太陽の動きに基づいて「二十四節気」が定められた。
⑤旧暦の夜は、毎月朔日《ついたち》は「新月」で暗闇。

旧暦は頻繁に改定され、計算法とは関係なく施行されたりもしている。太陽暦もユリウス暦とグレゴリオ暦があるので、両者の正確な比較は、こつこつと日付をつきあわせるしか方法がありません。

書籍では、野島寿三郎編『日本暦西暦月日対照表』（日外アソシエーツ・本体価格三千円）が、太陽暦にグレゴリオ暦が採用された天正十年（一五八二）から、日本政府が公式な暦を太陽暦にした明治五年（一八七二）までの、すべてを対照させています。

閏月がわかれば、だいたいの季節は見当がつく。日本歴史大辞典編集委員会編『日本史年表』（河出書房新社・本体価格二千二百円）には、「西暦」「年号・干支・閏月」「天皇」「政権担当者」「政治・経済・社会」「文化」がまとめられており、ぼくは重宝しています。

パソコンをお持ちであれば、NAGI-P SOFT（https://www.nagi-p.com/v1/）制作の『こよみちゃん』が圧倒的に便利です。マッキントッシュ版は和銅元年（七〇八）から平成年間まで、ウィンドウズ版は延暦元年（七八二）から平成年間まで、西暦・和暦の年月日を入力すると、対応する西暦・和暦の年号、年月日、曜日、六曜、干支（年の干支と日の干支）、ユリウス日（年号や閏日・閏月に関係なく通算した日数）が一瞬で出力されます。このシェアウエアフィーは五百円。

太陽暦

太陽の動きを元にして換算した暦です。ユリウス暦はその名の通り、ユリウス・カエサルがエジプトの太陽暦を元にして制定したものです。

ユリウス暦では一年を三百六十五・二五日とし、四で割り切れる年にはすべて閏日を充てることで処理していました。

実際には、地球は三百六十五・二四二二日で公転しており、〇・〇〇七八日の誤差が生じることになります。わかりやすく言えば、四百年あたり三日の誤差が生じる。

グレゴリオ暦はこれを是正したもの。

「西暦年数が四で割り切れる年は閏年として二月の日数を一日増やす。ただし、四で割り切れても西暦年数の下二桁がゼロの場合は、そのゼロを除いた上二桁が四で割り切れない年は平年とする」（国史大辞典）

この計算法ではじき出すと、一年は三百六十五・二四二五日になります。

グレゴリオ暦は一五八二年十月十五日に施行されました。それまでのユリウス暦の十月四日の翌日を十月十五日にすることで是正し、今日に至っています。

カレンダーを作るのが簡単なことと、同じ日に同じ季節が来るという利点があります。

西洋列強がほとんどグレゴリオ暦を採用しているため、交易の便を目的として、明治政府は明治六年から太陽暦に改暦しました。明治五年十二月二日の翌日を、明治六年一月一日にしたのがそれ。

太陰暦

月の動きを基にして換算した暦です。

国立天文台編『理科年表』（丸善出版）によれば、「朔、上弦、望、下弦の時刻は月と太陽との視黄経の差がそれぞれ0度、90度、180度、270度になる時刻である」って書いてあります。わからなくても大丈夫。ぼくもわからずに丸写ししているだけですから。

「朔《さく》」とは新月のこと。「望《ぼう》」は満月のこと。月の満ち欠けで一カ月を算定する方法です。

二〇〇四年二月を例にとると朔は二十日十八時十八分、次の朔が三月二十一日七時四十一分。つまり二十九日と十二時間二十三分の計算になります。

これを十二倍すると一年は三百五十四日になって、季節とは大幅なずれが生じることになります。したがって、後に述べる太陰太陽暦で季節を調整してゆきます。

この暦のメリットは、月の満ち欠けで日付がわかること、ですね。

二十四節気

太陰太陽暦は月の動きで日数を計算し、それを太陽の動きで補正して季節に合わせるというものです。季節の基準となるのが「二十四節気」。一太陽年（冬至から次の冬至にいたるまでのこと）を黄経にしたがって春分点を起点に天球を二十四等分したものです。何が書いてあるのかわからなくても大丈夫。これについても、ぼくもよくわからずに『理科年表』からひっぱってるだけですから。

太陰太陽暦を「季節と密着した暦」と勘違いしている人が多いのですが、季節はあくまでも太陽の運行を基準としているのを忘れずに。

その性格上、太陽暦での二十四節気では一日から二日程度の差がある程度ですが、太陰太陽暦では毎年違うので要注意。夏至・冬至・春分・秋分ぐらいは説明は要りませんね。

一応、列記しておきましょう。

春　立春・雨水・啓蟄・春分・清明・穀雨

夏　立夏・小満・芒種《ぼうしゅ》・夏至・小暑・大暑

秋　立秋・処暑・白露・秋分・寒露・霜降
冬　立冬・小雪・大雪・冬至・小寒・大寒

間違えやすいのは「節分」。これは二十四節気ではなく、「立春」の前日のことです。太陽暦ではおおむね節分は二月三日前後ですが、太陰太陽暦では元旦前に節分が来ることもあるので、注意が必要です。たとえばグレゴリオ暦一五八六年二月三日は天正十三年十二月十五日ですね。

「土用」は、「立夏」「立秋」「立冬」「立春」の前の十八日間をいい、その初日を「土用の入り」といいます。普通は夏の土用（立秋の前の十八日間）を指し、こちらも太陽暦で七月十九日前後。

土用の丑の日に鰻を食べる風習は、平賀源内のキャッチコピーによるという説が流布していますが、信頼できる史料にあたってみても確認できませんでした。もっとも、夏に鰻を食べる習慣は古いらしい。万葉集で大伴家持（七一八？～七八五）は、

「石麻呂《いはまろ》に吾《あれ》物申す夏痩によしといふものぞ鰻《むなぎ》取り食《め》せ」
「痩す痩すも生けらば在らむをはたやはた鰻を捕ると川に流るな」

なんてな歌を残してますな。この石麻呂、吉田連《よしだのむらじ》という人のことで、たくさん飲み食いするのに、おもいっきり痩せているのをみて、からかった歌。今も昔も、偉い人は無神経ですな。

太陰太陽暦

こうして月の満ち欠けと太陽の動きを組み合わせたものが「太陰太陽暦」。判明している日本で最初の暦法は「元嘉暦《げんかれき》」。これは中国で算出されたものを百済経由で導入したもの。持統天皇四年（六九〇・実際には六年から併用）から儀鳳暦《ぎほうれき》と併用する旨、『日本書紀』には記されていますが、推古天皇十二年（六〇四）に初めて暦日を使用したとあることから、そのときから使われていたようです。かなり精度が高く、一太陽年（常数）を三百六十五・二四六七一〇五日で算出していました。

歴史的に最も長く使用されたのは「宣明暦《せんみようれき》」。日本では貞観《じようがん》四年（八六二）に採用され、「貞享暦《じようきようれき》」が貞享元年（一六八四）に採用されるまで、八百四十二年間使われました。こちらは一太陽年を三百六十五・二四四六四二九日で計算。

江戸後期の天保暦《てんぽうれき》（これが現在、一般的にいわれる「旧暦」）まで、歴史上判明している太陰太陽暦は九種類。共通するのは、そのときどきで判明した常数をもちいて二十四節気と朔を算出し、その中気（二十四節気を一つ置きにとった分点）で月名を決める。雨中正月が朔と次の朔の前日までの一月に含まれる場合が「正月」。「雨水」との間は「立春」は十五日弱なので、正月前に立春が来ることもあるわけです。中気の間隔は太陰太陽暦の一カ月より長いので、中気を含まない月を閏月とした。

ただ、この閏月の設定のしかたはあくまでも原則で、天保暦では中気を含まなくても閏月にならなかった場合もあり、天保暦以前には定時法表示だったものを不定時法（これは次節で詳述）にしたり、加えて、月の大小の定めがあり、と、複雑をきわめていました。

基本的には暦法と元号は天皇の大権に属することだったのですが、戦国時代には天皇の主権が及ばない場合が多く、各国が各自に暦を作ることも。

暦法は渋川春海（一六三九〜一七一五）が宣明暦の誤差等を修正した貞享暦を算出して幕府天文方に就任し、以来、徳川幕府が暦法の管理を行いました。

暦法の詳細については、正直なところ、わからなくて構いません。太陰太陽暦を使っていた当人たちも、ほとんど理解していなかったと断言していいでしょう。閏月の設定にしても、尾張暦と宣明暦とでは異なり、このため、織田信長が当時の正親町天皇に改暦を迫ったぐらいですから。これは天正十年（一五八二）のことで、織田信長が本能寺の変で横死したために、宣明暦通り、天正十一年に閏正月が設定されましたが。

江戸時代の中期以降、ツケ払いが普及するようになってから、月末がいつなのかわからないと不便だ、ということが発生した。このため、月の大小だけを記した「大小暦」が普及するようになりました。

大小暦は、最初は月の大小を記しただけの味気ないものでしたが、印刷技術の発達により、だんだん遊び心の満ちた、判じ物のような絵柄になってゆきます。浮世絵では春画と並んで一ジャンルを形成するほどで、春画と違い公刊に支障がないものなので、浮世絵入門といった書籍には、必ず収録されています。目を通してみるといいでしょう。

花札はカルタ遊びから発展したものです。カルタはポルトガル語の「carta」からきたもので、南蛮渡来のもの。だから戦国時代より前には存在しないので注意。

ポルトガルから渡来したカルタは「剣」「杯」「貨幣」「棒」の四種の紋章に一から九までの数字札と「妃」「騎士」「王」の絵札をあわせた合計四十八枚のもので、現在のトランプに近いものです。

人間、この手のものをみると必ず博打心が燃えるものらしく、戦国時代のさなかの慶長二年（一五九七）に長宗我部元親が「博打カルタ諸勝負禁止令」を発令しています。

庶民もこれに対抗して次々と新しいカルタを発案しては禁止されるといったことが続き、現在の花札はそんななかから生まれた様子です。江戸時代後期の文化年代ごろだそうな。

二月の梅、三月の桜、八月のボウズ（薄《すすき》に満月）なんてのは、そのまま旧暦の一般的な季節感をあらわしてて、きれいなものです。「こいこい」なんてね。

7　不定時法　太陽にほえろ！

太陰太陽暦もたいがいややこしいんですが、不定時法は正確に説明すればするほどややこしくなるので、よけいにわかりにくい。ただし、アバウトに考えればとても簡単です。

明治六年（一八七三）、グレゴリオ暦が導入されるのに伴って廃止されるまで歴史にかかっているだけでも一千年以上使われた時法です。時計のない時代に、誰でも何の知識も訓練も必要なく時刻を知る方法だった、ってのを忘れないように。

先に結論を記しておきます。

①太陽を時計がわりにする。
②夜明け（注・日の出ではない）を「明六ツ」とする。
③日暮れ（注・日の入りではない）を「暮六ツ」とする。
④太陽の南中時を「九ツ」とする。
⑤「明六ツ」と「九ツ」との間を目見当で三等分し、「五ツ」「四ツ」と逆に数える。
⑥「九ツ」と「暮六ツ」との間を目見当で三等分し、「八ツ」「七ツ」と逆に数える。
⑦①〜⑥の場合、時刻の数詞は「とき」と呼ぶ（「八ツどき」など）。

①前記以外に、十二支を割りふる場合もある。この場合は一日を十二支にあてる。
②深夜零時に「子」をあて、「丑」「寅」といった具合に順番に割り振ってゆく。
③「明六ツ」に「卯」、「暮六ツ」に「酉」をあてる。
④昼間の「九ツ」に「午」をあてる（だから真昼を「正午」という）。
⑤①〜④の場合、時刻の数詞は「こく」と呼ぶ（「子の刻《こく》」など）。

厳密には「刻《こく》」は定時法での呼称なのですが、複雑なのであとで詳述します。ぜったいに混乱するので、しばらく「一刻《いっこく》」は「一トキ」と表示しましょう。

十二支は武家で使われることが多く、「九ツ」などは庶民が使うことが多い。例外多数。

「これだと季節によって時間の長さが違うじゃないか」という意見がでると思います。その通りです。昼間の一トキは、長いときで二時間三十八分。短いときで一時間四十七分。だから「不定時法」というわけ。

不定時法下では常に昼間のほうが長い

まず、不定時法では、夜明けと日暮れを基準にしています。

「夜明け」と「日の出」は異なります。「日の出」は太陽の上辺が地平線に一致することです。太陽光線は回折するので日の出前に明るくなります。これが夜明け。

同様に「日の入り」と「日暮れ」も異なります。「日の入り」は太陽の上辺が地平線に一致することです。太陽光線は回折するので、日の入り後、完全に暗くなるまでに若干の時間があります。完全に暗くなったのが日暮れ。

正確には視太陽の中心の伏角《ふっかく》（地平線から下への角度）が七度二十一分三十秒になった時間を指します。春分は視太陽の中心が春分点に到達したときをいい、春分を含む日を「春分の日」と呼んで、結果的に昼と夜の時間がほぼ同じになりますが、これは「日の出」「日の入り」を昼夜の基準にしているため。

不定時法下では「日暮れ」「夜明け」を基準にしているために、当然ながら昼間のほうが長くなります。

概算で年間平均昼間時間は十三時間十五分。一トキは平均で二時間十二分。年間平均夜間時間は十時間四十五分として、一トキはおよそ一時間四十七分の計算になります。

不定時法下ではアバウトが肝心

不定時法では太陽を基準にして時間を決めるので、日本中どこへ行っても太陽が最も高い場所にある（南中）ときが「九ツ」。現在の定時法で「九ツ」と「正午」が一致するのは東経一三五度が通過する明石市だけ——というか、それを基に「中央標準時」を決めたわけですが。東京では当然ながら南中は中央標準時より早く、午前十一時二十四分から午前十一時五十四分の間を行き来しています。

一応、「不定時法の○○時は現代の定時法だと○○時になるのか」を知る方法はあります。

まず前掲の旧暦換算ソフト『こよみちゃん』で新暦の日付を調べます。次に国立天文台の『こよみの計算』(https://eco.mtk.nao.ac.jp/cgi-bin/koyomi/koyomix.cgi)にアクセスし、日の出と日の入りをはじきだして「明六ツ」と「暮六ツ」を当てます。パソコンの電卓の時間計算機能を使って「暮六ツ」から「明六ツ」を引いて六で割り、エクセルで時間を割り当ててゆきます。

ただ、そこまで正確にやっても、目安程度にしかなりません、念のため。

実際のところ、慣れれば太陽の位置で半トキぐらいまではわかるでしょうが、それ以上の精密さを客観的に計測する方法は、一般人にはありませんでしたしね。

時計がなくて不便なような気がしますが、それは現代の我々の感覚です。不便とは、存在しているものがなくなったときに感じるものです。携帯電話が普及する前のことを思い出してください。なければないなりにどうにかなったじゃありませんか。

不定時法のメリット

時計がなくても時間がわかるのが最大のメリットです。

「雨だったら時間がわからないじゃないか」と反論がきそうですが、雨天、舗装されていない道路で、泥だらけになってまで外出しなければならないほど緊急な用事は、決して多くないことを忘れないでください。

昔も今も、大都会ではシモジモの難儀に関係なく、天候にも関係なく仕事に追われているものですが、そういった場所には、時を報せる鐘や太鼓などが整備されていました。

夜間の消費エネルギーを最小限に抑えられるのが次のメリット。

年間平均夜間時間に注目してください。夫婦者ならむにゃむにゃ（にゃんにゃんともいう）して就寝し、夜明け前に朝飯の支度をするのに、ちょうどいいサイクルになっていますね。カマドで飯を炊くのにどれだけ手間がかかるものか、忘れないように。

戦国武将の体内時計

ただ、問題は戦国時代の短時間計測の方法。

戦闘について、大将と部将間の連絡は使番《つかいばん》や伝令によってなされましたが、当然これにはタイムラグがある。近距離の場合は、軍配や采配など、視認しやすいもので指図する場合もあれば、法螺・太鼓などの音声で指令を発して機動性を高めた。

作戦を立てる場合、隠密裏に幾つかの部隊が敵を襲撃する策も出てくるわけですが、(鞭声粛々《べんせいしゆくしゆく》、夜河《よるかわ》を渡る、なんて奴ですな)このとき、最小時間単位が二時間程度では、とても対応しきれない。

ですが、こうした屋外での短時間計測の方法についての記録は、探しても見当たらない。

屋内だと香を焚いたりしたらしいんですが。

現代では、オーケストラの指揮者やアナウンサーなどが、かなり正確な体内時計を持っているのが知られています。これは天性のものもなくはないんですが、訓練によって習得するものだとのこと。

ラジオ番組は生放送が通例で、ベテランのパーソナリティあたりになると、「五秒のネタ」「十秒のネタ」「十五秒のネタ」といった具合に切り分けていて、ディレクターが残り時間を読みちがえたときなどに埋めているんだそうな。

「当然すぎることは記録されない」という歴史の原則がある。そこからすると、戦国武将が短時間計測の体内時計を持つのは必要最低限の素養であって、「体内時計を持っているのが当然だった」と推測するのが自然でしょう。とにかく、命がかかってるわけですから。

時《とき》と刻《こく》

さあ、深呼吸してください。ここからがややこしいところです。わからなくても大丈夫。民間では結局わからなかったので、前述の不定時法が定着していたわけですから。

とにかく、時間をあらわす単位に、同じ名称を使って、違う長さの時間を表現しているところに、混乱の根源がある、と、まず理解してください。主として『国史大辞典』から引っ張って、整理してみましょう。

一日百刻《こく》法

我が国最初の暦法である「元嘉暦」（持統天皇六年・六九二年採用）でとられたもので、一日を百等分する方法です。一刻《こく》あたり十四分四十秒。

一日十二辰刻《しんこく》法その一

定時法です。一日を十二辰刻に等分する方法です。起源は不明ですが、舒明天皇八年（六三六）にはすでに採用されています。

斉明天皇六年（六六〇）、漏刻《ろうこく》（いわゆる水時計です）が作られ、これによって時刻を測定。十二辰刻はさらに四刻に等分されました。

一辰刻は二時間。一刻は三十分。

一日十二辰刻法その二

定時法です。おおむね奈良時代から始まったようです。

十二辰刻はその名の通り、深夜を「子」として、「子丑寅卯辰巳午未申酉戌亥」の一辰刻の四刻を「点」と呼び、たとえば「午一点」と呼んだ。この場合、一刻は二時間。さあ、そろそろ混乱してきたかな。

一日百刻五十刻十二辰刻併用法

定時法です。貞観四年（八六二）に採用され、最も長期にわたって用いられた「宣明暦」での時法。

まず、一日を百刻とし、一刻を八十四分とした。一刻は十四分四十秒、一分は十・四七六一九秒。

十二辰刻も併用され、一辰刻は八刻二十八分で計算されました。

また、昼夜をあらわす場合にも十二辰刻で表現され、この場合には一辰刻は四刻一分で計算され、一日五十刻法で計算されるので、一刻は二十九分二十秒。

つまり、「宣明暦」での一刻は、十四分四十秒と二十九分二十秒が同居しているわけですな。

唯我独尊十二辰刻法

定時法です。「宣明暦」とはまったく無関係に引き続き朝廷で漏刻でもって測定されたもの。一辰刻は一刻から四刻まで四等分されたので、一刻は三十分。

『延喜式』（康保四年・九六七年施行）で、辰刻ごとに太鼓を鳴らして時報となすことが定められました。このとき子・午が九つ、丑・未が八つ、寅・申が七つ、卯・酉が六つ、辰・戌が五つ、巳・亥が四つ、鳴らされることになりました。時鐘の起源ですね。

ここでは刻《とき》と辰刻は同じ二時間。

十二辰刻時報混在法

不定時法です。漏刻による定時法は戦乱でどうにかなってしまい、十二辰刻法の刻《とき》も「丑時《うしのとき》」とか呼ぶようになり、ぐちゃぐちゃになります。

十二辰刻不定時法その一

江戸時代に入って、社会が落ち着いてからのもの。夜明けを「卯の正刻《せいこく》」、日暮れを「酉の正刻」とし、昼夜をそれぞれ十二等分して、そこに「正刻」を置いた。

不定時法十二辰刻に鳴らされる鐘は刻の中間点（正刻）。

時鐘に鳴らされる鐘は、その時の始点。

一刻《こく》と一刻《とき》（または一時）の長さは同じですが、十二辰刻の始点は時鐘より半トキ早くはじまります。

十二辰刻不定時法その二

委細はその一に同じ。

ただし、十二辰刻での一刻を二分割し、前半を初刻、後半を正刻と呼んだ。

十二辰刻不定時法その三

委細はその一に同じ。

ただし、十二辰刻での一刻を三分割し、上刻・中刻・下刻と呼んだ。

十二辰刻不定時法その四

時鐘が鳴らされた時が、その辰刻の始まりだと解釈された。

ちなみに、江戸時代の江戸府内では、十二辰刻不定時法その一からその四が混在し、そのうえ時鐘がまちまちだったので、目一杯ややこしかったそうです。

結局、幕末になって西洋時計が大量に導入されるようになり、グレゴリオ暦の採用によって不定時法そのものが消滅しました。

要するに、だ。「刻《こく》」「刻《とき》」と呼ばれる時間の単位は、十四分四十秒、三十分、二時間、二十九分二十秒、平均二時間十二分、平均一時間四十七分の六種類ある、ってのが結論。
……ふう……

8　戦国と仏教と武士道と

先日、拙著『三人吉三　明日も同じたぁつまるめぇ』が舞台化されたので、観に行きました。

元ネタは河竹黙阿弥『三人吉三廓初買《さんにんきちさくるわのはつがい》』なんですが、時代背景を元禄に移し、『忠臣蔵』の外伝風に仕立てた。

原作では、そこに出てくる「和尚吉三」を浄土真宗の僧侶にした。舞台でのキャスティングは近藤正臣。浄土真宗は有髪俗体が普通で、近藤正臣扮する和尚吉三も、総髪にきんきらきんの衣装が華やかだったんだけど、袈裟も何もかけておらず、ぱっとみただけでは僧侶かどうかわからない。

観劇後、演出を担当した松村武さんと歓談したとき、ひょっとしたらと思って、「松村さん、出身は関西?」とたずねたら、「奈良ですけど……なんでわかったんすか」。

「家は浄土真宗？」「えー……よく知らないんですけど」「坊さん、頭剃ってないでしょ」「はい。そういうもんだと思ってました」

これで決まり。江戸時代に檀家制度が施行されて以来、一時期、国民総神道の時代もあったものの、宗教への関心が極端に薄れてきている。

浄土真宗は関西・岐阜・北陸に極端に多く、ぼくも子供の頃は、髪を剃った坊さん、ってのは、一休さんぐらいしか見たことがなかったんで、そんなものだと思っていました。

さすがに戦国時代を舞台にした小説を書いていると、仏教の知識がそれなりにないと武将たちの行動哲学がわからない局面に幾度も遭遇するために、否応なく勉強することになりましたが。

戦国武将と一向宗

意外に知られていないんですが、戦国時代に徳川家康や織田信長を苦しめた「一向宗」は、現在の浄土真宗（東西本願寺）のことです。

本章の三節で「戦国時代の主君は、家臣団の意見のまとめ役みたいなもの」といったことを書きましたが、主君と家臣団の関係がそんな具合であれば、政治理論的には、家臣団の合議制が成り立てば主君は不必要だともいえます。

戦国時代にはそんな実例がいくつもあって、織田信長が天正九年（一五八一）に侵略する以前の伊賀がそうですね。「一揆」というと、つい江戸時代の「百姓一揆」から連想して農民主体のものと考えがちですが、戦国時代の一揆は「首魁の存在しない、合議制戦闘集団」だと考えていただくと、いちばんわかりやすいかな。

親鸞の嫡流である（東西）本願寺派は一時期衰微したのですが、八世蓮如のとき、戦国の風潮に教義が合致したこともあって、爆発的に門徒を増やしました。織田信長と戦ったのは十一世顕如。

東西に分派したのはいたって政治的な理由によるもの。本能寺の変の後、豊臣秀吉は顕如を厚遇しましたが、その長男、教如とはそりが合わなかった模様で、本願寺十二世には顕如の次男、准如をつけました。これが現在の浄土真宗本願寺派（西本願寺）。

その後、徳川家康は本願寺教団を分派させ、顕如の長男、教如を宗祖としました。これが現在の真宗大谷派（東本願寺）。

在家を基本とし、有髪俗体を通例としています。「五逆」はなく、煩悩を受容し、肉食妻帯を許されているのが特色で、女犯の罪はありません。

「戒《かい》」がないので、得度しても戒名ではなく法名といいます。法名にはどれだけ功績があっても「居士」「大姉」はつきません。

明智光秀の法名は「明窓玄智」という説と「秀岳宗光」という説がありますが、いずれにせよ、この法名から、光秀が真宗門徒だったことが推察できます。

戦国時代に武士道はなかった

江戸時代、キリスト教の禁教が厳格に適用されるようになると、「切支丹ではない証明」として、国民全員がどこかの仏門の門徒に強制的に入らされることとなりました。これを「檀家制度」といいます。

徳川幕府は徹底的な地方自治制を施いており、藩主の人事権以外は藩政に手をつけないのですが、島原の乱が終結する寛永十五年（一六三八）ごろには、ほぼ全国的に行き渡りました。

檀家制度は家単位です。個人の意思で菩提寺を変える自由はありません。寺は人別帳を作って檀家を管理しました。親子の縁を切るのを「勘当」といいますが、これはまだ人別帳に名前が残ります。「除籍」になると人別帳からも削除される「無宿人」となり、幕府からは、犯罪者もしくは犯罪者予備軍の扱いを受けました。
檀家制度の最大の罪は、行動哲学の基本になる倫理の存在を放棄したことにあります。

仏教には、禅宗のように内観することによってみずからを高める「自力宗」、浄土真宗のように「自力」を超越した他力の存在を認めてそれにすがる「他力宗」に大別されます。また、加持祈禱によって現世利益を約束するもの、現世利益を否定して来世の功徳を約束するものにもわけられる。同じ仏教といっても、違う宗教といっていいほど、宗旨に違いがあります。

戦国時代以前の宗教は自由競争で、名のある戦国武将のほとんどが、その行動哲学として信仰心にあつかった。武田信玄や上杉謙信のように、生前に帰依する例もあります。織田信長は仏教は好みませんでしたが、神道は尊重しています。たびたび神社に参詣しており、天正十年（一五八二）正月には伊勢神宮の遷宮費用として、一千貫文の請願に対して三千貫文を寄進しています。

忘れられがちなのですが、戦国時代には「武士道」という概念はありません。上級武将は「世間」という民意を意識して政治を行っていた（山本博文『武士と世間』）らしいのですが。武士としてあるべき姿を確認したかったら、槍もってとっとと戦場に行けばいいわけですからね。

武士道は宗教だ

徳川幕府は軍事政権です。ただし、徳川家康が将軍位に就いた頃から林羅山らによって「朱子学」といった儒学が導入され、徳川綱吉あたりから、その行政哲学は『大学』などの文治思想を基にするようになりました。『徳川実紀』では、綱吉が子息や幕閣に講読している記述が頻出しています。

つまり、平和になった時代の武士とは「戦うことを禁じられた軍人」だったわけですね。現憲法下の自衛隊も状態では同じですが、事情は違います。江戸時代の武士は自分の意思で就職したわけではありません。医師免許や飛行機・船舶の操縦資格、大型特殊自動車免許や電気工事士や危険物取扱主任者、などといった民間で応用のきくような技能を取得させてくれるわけでもありません。

江戸時代の武士は、武士をやめたら何の役にもたちませんが、武士であっても軍人としての役は、原則的にはありません。

そんなとき、彼らのアイデンティティのよりどころとなったのが「武士道」です。いわゆる「赤穂事件」に対して、事件当時、幕府が厳重な箝口令をしき、『仮名手本忠臣蔵』が熱狂的にもてはやされたのはなぜか。そんなことをする奴がいなかったからです。「武士道とは、死ぬことゝとみつけたり」で知られる『葉隠』は江戸中期の享保年間（一七一六〜一七三六）ごろに成立したと考えられています。新渡戸稲造が英文で『武士道』を著したのは明治三十二年（一八九九）、日本語訳本の刊行はその翌年。

武士道の概略を知るのであれば、海外向けのものだけに、新渡戸版のほうがよりわかりやすいかな。整理されていて、哲学書の様相を呈しています。有名な本なので、岩波文庫版で、どこでも入手できるとおもいます。

信仰は、重要です。

人間には挫折する能力と権利があります。闇夜で石につまずいて転んだとき、石を探すか道を探すかは人それぞれで、宗派によっても違います。ただ、指針となるのが宗教なのだということは忘れずに。

第四章　書いた原稿をどうするか　いざ、勝負！

実はこれ、本来は冒頭にもってくるべき種類の章です。

拙著『新・何がなんでも作家になりたい！』で詳述したように、書く前に枚数だとか新人賞の下調べなどが必要なわけですから。

当初、本書は「プロになるため、新人賞に投稿するための小説の書き方」と「時代小説の舞台裏へようこそ」というコンセプトから書き始めました。「新人賞の応募がデビューへのいちばんの近道だ」というのは、周知の事実だと思っていたもので。

しかしながら、執筆中にも多くの相談が寄せられました。「プロになるにはどうしたらいいいか」「書いた原稿はどうしたらいいか」といったあたりはまだいい。

絶句するような質問がたくさんある。

「新人賞に応募せずにデビューするにはどうしたらいいか」（あれだけ「プロになるには

新人賞への応募がいちばんの近道」と書いたのに、まだ近道があると思っているらしい）

「落選するのが怖いので新人賞に応募したくないのだがどうすればいいか」（受賞者の数と応募者の数の比を考えるだけの想像力は必要だと思うぞ。ほとんどの応募者は落選しているじゃないか）

「小説講座の知り合いから新人賞をすすめられた」（本当にデビューに結びつく新人賞なら、その知り合いがデビューしているはずじゃないか）

「落選したけれども、その賞を主催する出版社から『惜しくも選には漏れましたが、あなたの作品はいいものなので、協力出版という形で出しませんか。あなたの負担費用はン百万』と連絡がありました。モトデがかかっている本なので、ここで一発、勝負をかけたいのですがどうしたらいいでしょうか」（協力出版の典型例）

そんな事例があまりにも多いので、あらためて略述することにしました。

本章に目を通す前に、何のために原稿を書くのかご自身に問うてください。

①書いた本を読ませたいのか。

②本を出したいのか。

③小説で食っていきたいのか。

それぞれに方法論が違います。

書きたいときに書きたいものを書きたいだけ書いて、それが本になって書店にならぶのをみることができて、ばんばん売れて、次々と依頼が舞い込み、賞も貰って有名になる、ということを、すべて満たすことは、滅多にありません。ないとは断言しませんが、あなたがそうなら、こんな本を読んでいないで、さっさとデビューしているはずです。

小説家の世界は、ユートピアではありません。あなたにとっての優先順位が、どこにあるのか、決めるのはとても大切です。

新人賞への応募が最初の一歩

辛い話を先にしておきましょう。

自分の小説は、自分の子供です。他人が何と言おうとも、世界中でもっともいとおしく、可愛いものです。

自分の小説を商業出版するということは、自分の子供をジャニーズ事務所に入れて、ひとさまからお金を頂戴する行為だと思ってください。

自分の息子がジャニーズ事務所に入れるかどうかは、あなたがまず鏡で自分の顔をみて、ご妻女の顔を足して、二で割れば一目瞭然ですね。

ですが、自分の小説を映す鏡はありません。

いかにも、時代小説は他のジャンルにくらべてデビュー年限は高い。あなたが九十歳以上でなければ、新人賞に応募しても、年齢ではねられることはないでしょう。ただし「年齢が関係ない」だけで、実力はおおいに関係があります。

小説雑誌を刊行している出版社は、たいていの場合、新人賞を設定して、募集しています。けれども、ほとんどが年に一回程度です。

デビューは還暦を過ぎても大丈夫ですが、助走には時間がかかります。人生経験の豊富さと残された時間は、だいたい反比例しています。

もしあなたが定年直前の場合、こうした新人賞に片っ端から応募して、すべて予選落ちする場合、残念ですが、天分に恵まれなかった、と潔くあきらめるのも、とても重要なことではあります。

ただし、応募する前からあきらめる必要はありません。

小説の新人賞に自作を応募することと、息子にジャニーズ事務所のオーディションを受けさせるのには決定的な違いがあります。あなたの息子がジャニーズのオーディションを通ることにはあまり努力の余地はないでしょうが、あなたの小説が新人賞を受賞するのには、努力の余地が十分にあります。

人間、一度しか死なないけれど、一度しか生きられません。後悔しない人生は存在しませんが、後悔しないように心がけることだけはできます。

ついでながら申し上げると、定年を過ぎて時間が余ると、かえって書けなくなる、とは、還暦すぎてデビューした知人の同業者の談。こちらは五十を過ぎたところで小説講座に通い、幸運にも定年直前にデビューが確定し、今日に至っています。時間の管理と、体調の管理がいちばん難しいそうで、視力と記憶力が急速に衰えるのが厄介なんだそうな。

さあ、それでは、まず書店に行って、小説雑誌を買ってきて、新人賞の募集要項に目を通しましょう。パソコンの前に座り、心の帯に剣を差してくださいな。

では、いざ。

尋常に、

勝負、勝負。

あとがき

時代小説は、いつも新しい。

前著『時代小説が書きたい！』をあらわしてから十六年が経過した。この間、歴史・時代小説をとりまく状況も大きく変わり、本書を刊行するにあたって大幅に改稿した。

主な訂正箇所は左記の通りである。

パソコンでの執筆環境が大きく変化した。なじんでいるソフトが消滅して使えなくなる事態が多数発生している。パソコンに関しては千古不易とはゆかない。

日本史の情報収集環境は激変した。アマゾンのマーケットプレイスの出現や総合辞書検索サービスの充実など、日本史のデータベースが急速に進化している。かつては古書での情報収集が中心だったが、出版各社のオンデマンド版が出回るようになった。もともと歴史小説・時代小説は地方在住のハンディのすくないジャンルではあるが、これだけネット情報が充実してくると、本当にどこにいても書けるようになった。

デビューする方法については、かなり変化した。

現在では原稿の持ち込みデビューはほぼ不可能になった。

鈴木輝一郎小説講座はネット受講に完全対応して以降、ほぼ毎年、複数の新人賞の受賞者を出している。これは、まぐれでも運がいいわけでもなく、ましてや教え方がうまいわけでもない。新人賞の数が増えたからだ。そこいらの事情は拙著『何がなんでも新人賞獲らせます！』（河出書房新社）で詳述したので、ご参照たまわりたい。「金賞」「奨励賞」「隠し玉」といった形での受賞はある。ただし本賞以外での受賞者のうち、デビュー二作目の壁を越えられるのは三割ほどである。持ち込みでデビューできたのは一人しかいない。

新しい流れとして、小説投稿サイト（『小説家になろう』や『アルファポリス』『カクヨム』『エブリスタ』など）の投稿作品の書籍化がある。これは始まってから十年ほどしか経っていない。今後どうなるかは不明なので言及は避けた。ケータイ小説や協力出版などの消長を目の当たりにしてきた身としては慎重にはなる。

「なぜ歴史小説を書くのだろう」と、おもうことがある。それなりの需要があり、読者がいて、書かせてもらえるからなのは第一ではあるとはいえ、それだけではない。

桶狭間の合戦で織田信長は何を考えていたのか。本能寺で謀反を起こすと決断したとき、明智光秀は何を考えていたのだろうか。

後世の我々は「織田信長が勝つに決まっている」と知っているし、「明智光秀は十分勝算はあったけれど、細川藤孝が中立を保ってしまったことと、羽柴秀吉が異様な速度で帰ってきたことで、態勢を整える時間がなくなって失敗した」と知っている。

ただ、歴史のまっただなかにいた彼らは、自分が何をしようとしているのか、わからなかったことだけは、間違いない。

さて。

私自身のアルコール依存症が縁で、十年ほど前から薬物依存症のリハビリセンターのボランティアをしている。その関係で元薬物依存症者の友人が多い。

先日、何かの拍子で歴史小説の話になり、「歴史上の人物は、『自分が何をしているのか知らない』のだ」という話になった。

すると友人が「そういえば――」と切り出した。

「クスリで逮捕され精神科病院の保護室に放り込まれたとき、オムツを当てたまま『父よ、彼らをお赦しください。自分が何をしているのか、知らないのです』って言葉が、頭のなかで鳴り響いてましたねえ」

クスリが抜けて刑務所に移され、教誨のために牧師がきたとき、その話をしたら「ルカによる福音書二十三章三十四節だ」と教えてもらったんだそうだ。

「イエス様が、自分を磔刑《たっけい》にする処刑人たちをあわれんだ言葉だそうです」

彼はちょっとだけ首をかしげて続けた。

「ぼくが赦してもらう立場だ、ってのに、なぜあのとき、あんなに心に響いたんでしょうかねえ」

アルコール依存症は酔ったときのことは忘れているものだけれど、覚醒剤はハイになっても明確に覚えているのだそうだ。彼はクスリを断って四年か五年か、そのぐらい。

「いまでは、響かない？」

と、たずねると、彼はかなり長い間、考えて、そして噛みしめるようにこたえた。

「いいえ、もっと。そして、たぶんこれからも」

——人間は、自分が何をしているのか、常に知らない。

歴史と人間には、いつも謎がある。だからこそ小説は面白い。
時代小説は、いつも新しい。

ネットでのレビューが中心となった現在、意外なことに、読者の声は出版社にも著者にも届きにくくなっています。
一、出版社は、刊行した作品のレビューをいちいち検索してチェックしていないこと。
二、著者は（私は）、エゴサーチをすると痛い思いをするので、自分の作品のレビューを見ないようにしている。
といった事情からです。
ですので、本書をお読みになったご意見、ご感想をお寄せください。
絵葉書に「面白かった」と、ひとこと書いていただくだけで十分です。
差出人の住所氏名をお忘れなく――私が書いたと思われるので。

二〇二〇年三月

鈴木輝一郎

※本書をお読みになったご意見・ご感想をお寄せください。

【あて先】

郵便番号　一五一－〇〇五一

東京都渋谷区千駄ヶ谷二丁目三十二番二号

河出書房新社　編集部

鈴木輝一郎著『新・時代小説が書きたい！』係

鈴木輝一郎（すずき　きいちろう）
一九六〇年岐阜県生まれ。日本大学経済学部卒業。九一年『情断！』でデビュー。九四年『めんどうみてあげるね』で第四七回日本推理作家協会賞受賞。著書として『浅井長政正伝』『本願寺顕如』『金ケ崎の四人』『桶狭間の四人』『織田信雄』『姉川の四人』『新・何がなんでも作家になりたい！』『何がなんでも新人賞獲らせます！』『何がなんでもミステリー作家になりたい！』等多数。主宰する鈴木輝一郎小説講座からは各新人賞受賞者を多数輩出。全国屈指の受賞率を誇る。

【著者のホームページ】
http://www.kiichiros.com
『鈴木輝一郎小説講座ダイジェストチャンネル』
https://www.youtube.com/c/kiishirosjp

新・時代小説が書きたい！

二〇二〇年五月二〇日　初版印刷
二〇二〇年五月三〇日　初版発行

著　者　鈴木輝一郎
装　幀　坂川栄治＋鳴田小夜子（坂川事務所）
発行者　小野寺優
発行所　株式会社河出書房新社
〒一五一−〇〇五一
東京都渋谷区千駄ヶ谷二−三二−二
電話　〇三−三四〇四−一二〇一（営業）
　　　〇三−三四〇四−八六一一（編集）
http://www.kawade.co.jp/

組　版　KAWADE DTP WORKS
印刷・製本　株式会社暁印刷

Printed in Japan　ISBN978-4-309-02882-8
落丁本・乱丁本はお取り替えいたします。